UNA CHICA
ASISTE A UNA BODA

Elige tu propia aventura... *hot!*

Helena S. Paige

Una chica asiste a una boda

Mis fantasías, yo decido

Traducción de Montse Batista

Argentina • Chile • Colombia • España
Estados Unidos • México • Perú • Uruguay • Venezuela

Título original: *A Girl Walks Into a Wedding*
Editor original: Sphere, an imprint of Little, Brown Book Group, Londres
Traducción: Montse Batista Peguerolas

1.ª edición Marzo 2014

Copyright © Sarah Lotz, Helen Moffett, Paige Nick 2013
All Rights Reserved
© de la traducción 2014 *by* Montse Batista Peguerolas
© 2013 *by* Ediciones Urano, S.A.
  Aribau, 142, pral. – 08036 Barcelona
  www.sombraseditores.com

ISBN: 978-84-15955-04-7
E-ISBN: 978-84-9944-694-3
Depósito legal: B-2.712-2014

Fotocomposición: Ediciones Urano, S.A.
Impreso por Romanyà Valls, S.A. – Verdaguer, 1
08786 Capellades (Barcelona)

Impreso en España – *Printed in Spain*

Todas las mujeres saben que los vestidos de dama de honor son una conspiración secreta del diablo. Por mucho que tu mejor amiga, hermana o prima te prometa que no te vestirá como la novia de Frankenstein, lo más probable es que acabes caminando por el pasillo envuelta en esa clase de tela que se usa para tapizar sofás y de un color con el que parecerá que tienes ictericia.

Pero hoy no te da pánico probarte el vestido de dama de honor. Jane es tu amiga de toda la vida y sabes que nunca te pediría que te pusieras una monstruosidad. Has visto fotos de lo que tiene pensado para ti, un vestido suelto de tirantes de muy buen gusto en un inofensivo satén azul oscuro.

—¿Champán? —pregunta una dependienta que sostiene una bandeja de copas en las que las burbujas saltan como locas.

—Sí, por favor —contesta Cee Cee, la hermana mayor de Jane y la madrina, que aparece a tu lado y toma una copa. A Cee Cee le encantan las bodas; de hecho, como es organizadora de bodas, vive de ellas. Te preocupa un poco que le pueda estar contagiando a Jane el estrés y la histeria típicas de una *bridezilla*. Casi todos los eventos que organiza hacen que la última boda real parezca una horterada que termina en borrachera en el bar del barrio, pero hay que reconocer que es una gran organizadora.

—¿Has visto el vestido de Jane? —preguntas, al tiempo que te hundes en uno de los lujosos sillones colocados frente a una pared de espejos y una pequeña tarima diseñada para que el vestido se vea mejor.

—¡Aún no! Pero estoy impaciente —responde Cee Cee, y se acomoda en el asiento de al lado con los ojos brillantes—. ¡Vas a flipar cuando Jane te cuente lo que se me ha ocurrido para los vestidos de las damas de honor!

Eso suena muy inquietante. Estás a punto de pedirle que te dé más detalles, pero Jane sale del probador seguida de cerca por una montaña de tela y por la dueña de la tienda de novias atusando la cola del vestido.

—¡Oh, Dios mío, Jane! —exclamas.

 Si el vestido de novia es magnífico, ve a la página 3

 Si el vestido de novia es horroroso, ve a la página 5

El vestido de boda es magnífico

Se te corta la respiración. Está deslumbrante. El vestido es blanco y, siendo como eres su mejor amiga, ves que le aprieta un poco, pero ¡qué caray!, es su boda y puede ponerse el vestido que quiera.

Éste tiene un escote en forma de corazón, un delicado canesú y mangas de encaje y, cuando tu amiga sube a la tarima, la pared de espejos deja ver al menos dos docenas de pequeños botones de seda que le recorren la espalda entallada de arriba abajo.

No puedes creer que tu mejor amiga vaya a casarse. Fuisteis juntas a la guardería; pasasteis por la escuela primaria, luego la pubertad y después el instituto; tuvisteis juntas las primeras citas con chicos y los primeros desengaños, y ahora va a pasar a la siguiente etapa de su vida... sin ti.

Tú te alegras muchísimo por ella, por supuesto, y Tom es un chico muy majo. Por encima de todo quieres que ella sea feliz, pero no puedes evitar sentir un poco de pena por ti misma. No es que estés desesperada por casarte... Lo que pasa es que te gustaría no tener esta sensación de que te estás quedando atrás.

—¿Qué os parece? —pregunta Jane, y se vuelve un poco hacia un lado y luego hacia el otro para hacer resaltar toda la belleza del vestido.

—No sé qué decir —balbuceas.

Cee Cee se ha levantado y va de aquí para allá en torno a Jane dando tirones a la falda larga que se extiende arremolinada y forma la cola que enteramente parece un charco de color crema detrás de ella.

—Jane, eres la novia más hermosa que he visto jamás —afirma.

Tú asientes con un nudo en la garganta.

—Muy bien, chicas —dice Jane—. Ahora os toca a vosotras.

 Para ver tu vestido de dama de honor,
ve a la página 12

El vestido de novia es horroroso

Se te corta la respiración. Jane está horrible.

El vestido es de color blanco glaciar. Es tan blanco que te duelen los ojos al mirarlo, pero el verdadero problema es el diseño.

En ese vestido hay más pliegues, fruncidos y hombreras que en toda una temporada de *Dinastía*. El escote cae demasiado entre sus pechos y el hueco va tapado con una malla de encaje blanco. Además, tiene unas flores grandes y blancas de tela arrugada que dan la impresión de ser trabajos de plástica de una guardería que se hubieran caído por encima del canesú y la falda, la cual tiene esa medida incómoda: un par de centímetros demasiado corta para ser larga y un par de centímetros demasiado larga para ser corta.

—¡Estás absolutamente deslumbrante! ¡Es el vestido más bonito que he visto en mi vida! —exclama Cee Cee efusiva.

Miras a Cee Cee para ver si está mintiendo, pero, si miente, lo disimula muy bien. Jane te mira esperanzada.

 Para decirle la verdad a Jane sobre el vestido, ve a la página 6

 Para decirle una mentira, ve a la página 10

Le dices la verdad a Jane

—¿Y bien? —Jane sonríe con una mueca—. ¿Qué te parece?

Tomas una copa de champán y te la llevas a los labios. Las burbujas te hacen balbucear, pero al menos has ganado un poco de tiempo.

—Bueno… No estoy segura de que el color sea el más adecuado para ti —logras responder.

—El blanco no es un color, es un tono —salta la dueña de la tienda de novias al tiempo que se acerca con el sigilo de un tiburón.

—Entonces, ¿el problema es el color? —pregunta Jane. Se vuelve a mirar a la dueña—. ¿Lo tiene en rosa pálido? ¿O quizás en color coral?

¿Rosa? ¿Coral? Eso sería aún más horrible.

—Mmm… De hecho, ahora que lo pienso, el problema no es el color, es el estilo —comentas—. Tienes un tipo estupendo, Jane. No creo que este vestido te haga justicia.

—Pero si he venido ya a siete sesiones de prueba. Me he probado cientos de vestidos de novia. ¿Puedes ir más al grano?

Das otro trago de champán.

—Quizá sea que los volantitos son muy exagerados.

Jane se da la vuelta para mirarse en uno de los espejos de cuerpo entero.

—¿No te gusta nada? Es importante que seas sincera.

—¿De verdad?

—Del todo. Eres mi amiga de toda la vida. Puedo encajarlo.

Cee Cee te hace gestos como si se cortara el cuello y la dueña y la dependienta que sostiene la bandeja con el champán te miran fijamente con un horror manifiesto. Todo el mundo está esperando.

—De acuerdo. Mira, Jane, no hay forma de decir esto y que suene agradable, pero... —Apuras la copa y respiras hondo. Es tu mejor amiga, se merece saber la verdad—. Es horrible. Es vomitivo. Parece que lleves un pañal de alta costura.

Se hace un silencio sepulcral.

Jane te fulmina con la mirada.

—¿Cómo puedes decir eso?

Tal vez deberías haber sido más sutil. Le echas la culpa al champán.

—Lo siento. No era mi intención expresarlo así.

—¿Estás celosa? ¿Es eso? ¿Porque he encontrado a alguien a quien quiero y tú no?

¿De dónde ha sacado eso? Percibes que se puede cortar el aire con un cuchillo.

—¿Celosa? ¡No! No es justo que digas eso. Me has pedido la opinión y yo te la he dado.

—¡Lo siguiente que vas a decirme es que no debería casarme con Tom!

De hecho, no estás segura de que Tom, el prometido de Jane, sea exactamente el hombre adecuado para ella, pero quizá no sea buena idea lanzar dos bombas de honestidad el mismo día.

A Jane se le llenan los ojos de lágrimas. Se hace un largo silencio mientras ella se mira al espejo. Te preparas para recibir más recriminaciones, pero, de repente, se echa a reír.

—Parezco una princesa de Disney esquizofrénica, ¿verdad?

—O una explosión en una fábrica de merengue —añades.

Jane se ríe tontamente.

—¿En qué estaba pensando?

—¡Pues a mí me gusta! —declara Cee Cee a la defensiva, pero por una vez Jane no le hace caso.

—¿Qué te parece éste? —preguntas, y te acercas al perchero y sacas un vestido elegante de seda color marfil y estilo *vintage*—. Lo he visto antes y creo que te quedaría precioso.

—Es muy bonito —afirma Jane, y Cee Cee y tú esperáis mientras ella y la dueña desaparecen detrás de la cortina del probador.

Jane reaparece, y tanto tú como Cee Cee dejáis escapar un grito ahogado. Es un vestido precioso. Perfecto. El estilo engañosamente sencillo de mujer moderna de los años veinte tiene reminiscencias del *glamour* de *El gran Gatsby* y da la impresión de que hubiera sido creado ex profeso para encajar en la figura esbelta de tu amiga.

—Gracias por salvarme —te dice Jane—. Bueno, ahora te toca a ti.

 Para ver tu vestido de dama de honor, ve a la página 12

Mientes

¿Cómo vas a decirle la verdad a Jane? Sabes cuántas pruebas ha hecho ya, los meses que ha pasado estudiando minuciosamente los catálogos de Vera Wang y sufriendo con las páginas web de alta costura. Quizás una vez peinada y maquillada el vestido no se verá tan horrible.

—Es..., bueno..., impresionante —dices con una voz que hasta a ti te parece falsa. Nunca se te ha dado especialmente bien mentir.

Jane pone mala cara y se mira un buen rato al espejo.

—¿De verdad?

—Mmmmmm. —Tomas una copa de champán y echas un trago.

Cee Cee asiente con admiración. Es un misterio que una organizadora de bodas pueda tener un gusto tan atroz.

—¿No te parece excesivo? —pregunta Jane.

—Bueno... ¿Un poquito tal vez? —respondes con un gritito.

—Creía que habías dicho que era impresionante.

A decir verdad, cualquier persona con un poco de gusto sin duda quedaría impresionada al verlo. Te muerdes la lengua.

—¡Oh, por Dios! —se lamenta Jane—. Pero si parezco un merengue luchando contra un edredón. —Se da media vuelta hacia ti—. ¡Me resulta increíble que fueras a dejarme llevar esta monstruosidad!

—Bueno… Al final te lo hubiera dicho. Me has pillado desprevenida.

—Y ahora, ¿qué hago?

La propietaria de la tienda de novias os lleva la delantera y aparece blandiendo un vestido elegante de aspecto *vintage* con un delicado bordado.

—Quizás a la señora le gustaría probarse algo así.

Jane te lanza una mirada de odio y desaparece tras la cortina.

Pero, cuando sale de nuevo, esta vez con un aspecto impresionante de verdad, tu admiración es absolutamente sincera. Jane da vueltas delante de ti y por su expresión ves que te ha perdonado.

—Ahora te toca a ti —anuncia.

 Para ver tu vestido de dama de honor, ve a la página 12

Vas a ver tu vestido de dama de honor por primera vez

Aparece otra dependienta con dos bolsas de vestido enormes y las cuelga en un perchero cerca de la zona de los probadores.

—¡Te va a encantar! —gorjea Cee Cee.

Echas otra mirada de soslayo a los vestidos metidos en las bolsas. Mucho te temes que entre lo que le encanta a Cee Cee y lo que te gusta a ti hay un abismo.

—Sé que te enseñé algunos como referencia —dice Jane—, y que hablamos de uno de satén azul cuando te tomamos las medidas hace unos meses, pero cuando Cee Cee y yo estuvimos eligiendo los manteles nos encontramos con esta tela preciosa que creemos que pegará muy bien con el resto.

—¿Me estás diciendo que nuestros vestidos van a estar hechos de la misma tela que los manteles? —preguntas intentando no parecer muy alarmada.

—¡Y que las servilletas! —añade Cee Cee—. ¿No es genial? Lo están haciendo todas las famosas. —Agarra su vestido con impaciencia y se mete en uno de los probadores.

Como no quieres defraudar a Jane por nada del mundo, coges el tuyo y reprimes la sensación de desastre inminente. Entras en el probador, cuelgas el vestido en el perchero y retrocedes para echarle un vistazo. No parece muy prometedor, pero aún albergas una semilla de esperanza y piensas que quizá no quede tan mal una vez puesto.

Te quedas en ropa interior y te dejas puestas las deportivas Converse, y luego te metes con cuidado en ese montón de tela pesada. Agarras las mangas y te peleas con el vestido, tiras de él para subírtelo por la cadera y los muslos. Es ceñido y tienes que meter tripa y dar saltitos para que te entre. Al fin, deslizas los brazos por las mangas y los llevas hacia atrás para subirte la cremallera, que se te queda atascada a media espalda. Te retuerces y tiras, pero no hay forma de que suba.

Oyes a Cee Cee fuera que dice chillando:

—¡Ya te lo dije, Jane! ¡Es perfecto! —Descorre tu cortina de golpe—. ¿Cómo te queda? —pregunta.

Te armas de valor y sales para evaluar los daños.

La verdad es que a Cee Cee, que tiene unas tetas pequeñas y respingonas y las piernas largas, el vestido no le queda demasiado mal, pero en ti es un auténtico desastre. Con esas mangas abullonadas y el escote festoneado pareces una lechera, y cada vez que respiras se desabrochan los botoncitos perlados que lleva delante. Y qué me dices del color. Jane prometió que no te haría llevar ningún tono de rosa caramelo, pero este color —que Cee Cee insiste en que es albaricoque, pero más bien parece el color de una *mousse* de salmón rancia— es casi peor. Y para rematar la fealdad: tiene un estampado espigado. Se te pasa por la cabeza la posibilidad de inventarte un misterioso accidente para él. Algo que tenga que ver con un *tsunami* y con un restaurante de curry podría valer.

La dueña de la tienda y la modista se abalanzan sobre ti. Una te empuja los pechos para volver a meterlos en las copas del vestido y la otra te da tirones en la espalda y consigue subirte la cremallera con el resultado de que los botones que quedaban en el canesú se te abren hasta la cintura.

—Me temo que no me va muy bien. —Expones lo que es a todas luces evidente.

—Estoy segura de que podrán arreglarlo. ¿Podréis arreglarlo, verdad? —Jane se vuelve a mirar a la costurera, y su voz alcanza esa frecuencia ultraelevada a la que sólo llegan las novias histéricas. La mujer parece dudarlo, pero acto seguido tanto ella como la propietaria empiezan a moverse a tu alrededor con afán, tirando de la tela y las costuras mientras tú te dejas hacer con la esperanza de que justo cuando empiece la boda todos los asistentes sufran una ceguera temporal.

Por fin terminan. Sales como puedes de la horrible prenda, te vistes y te reúnes con las demás.

Cee Cee te mira entrecerrando los ojos.

—No me has dicho a quién vas a traer a la boda.

—Sí, lo siento —dices—. Aún no lo he decidido.

Jane y Cee Cee cruzan una mirada.

—Pero si es la semana que viene —te recuerda Jane—. ¿Me lo puedes decir antes de esta noche? El calígrafo tiene que hacer las tarjetas para las mesas.

¿Calígrafo? ¡Madre mía! Ésta no es la Jane despreocupada que conoces y a la que quieres. La verdad es que no has decidido a quién vas a pedir que sea tu acompañante. Y a Jane ni siquiera le has hablado aún de Steve.

Lo conociste en Internet (de los que se pusieron en contacto contigo, era uno de los pocos que no tenía un apodo arrogante que incluía el número 69) y tienes que admitir que si aparecieras con él causarías conmoción. Steve posee esa clase de atractivo que provoca tortícolis. Y ahí está el problema. En la única cita que has tenido con él, estuviste tan atareada intentando descubrir dónde estaba la trampa que apenas tuviste oportunidad de llegar a conocerlo.

De todos modos, es una gran mejora respecto a algunos de los tipos con los que has salido últimamente. Tiene una dentadura perfecta, se rió de tus bromas y, cuando fuisteis a tomar un café rápido después de la película, se pasó con la propina del camarero (eso siempre es buena señal). Y, mejor aún, no se mostró avasallador ni empalagoso, y al final de la velada se despidió con un beso de buenas noches casto, pero emocionante. ¿Es demasiado bueno para ser verdad?

O podrías ir sola. No iba a pararse la boda porque

no estuvieran emparejados todos los invitados. Sabes que, a pesar de su pánico a casarse, lo único que Jane quiere es que seas feliz, con pareja o sin ella. Y la preocupación de Cee Cee se limita a las necesidades alimenticias de tu acompañante, el pie que calza y si su personalidad es adecuada para sentarse al lado de la abuelita sorda de la novia o del tío borrachín del novio.

—Será mejor que me vaya —dice Jane—. Tengo una reunión con DJ Salinger.

—¿Con *quién*? —preguntas.

—El *disc-jockey* para la recepción. Dicen que está como un tren.

—Y yo mejor que salga hacia el aeropuerto. Esta tarde llegan Bruno y la chica que lo acompaña —explica Cee Cee—. Es la primera vez que vuelve a casa desde hace años.

—¿Bruno va a traer a una chica a la boda? —dices, y recuerdas las burlas constantes a las que te sometía el hermano de Jane y Cee Cee cuando erais niños—. ¿Quién es esa mujer, una especie de masoquista?

Jane se ríe.

—Bruno ha cambiado, te sorprenderás.

—¡Ja! —exclamas—. ¿Recuerdas cuando me quemó el pelo? No creo que pueda superarlo nunca.

Os despedís y sales de la tienda de novias un poco deprimida. Después de ese catastrófico vestido de dama de honor, necesitas animarte. Le mandas un mensaje de emergencia a tu amiga Lisa, que te responde en cuestión de segundos y promete comprar comida para llevar y una botella de vino de camino a tu casa.

* * *

Lisa se echa el último culín de vino en la copa y se mete en la boca el último trozo de pan hindú.

—¡Bodas! —dice—. ¿Por qué la gente hará todas esas chorradas?

Suspiras.

—Se supone que es el día más importante de tu vida.

Lisa resopla.

—Más bien el día más estresante de tu vida. La industria entera es una conspiración entre una organizadora de bodas gigantesca y una floristería. —Se pasa una mano por el pelo de color rosa. Es una suerte que Jane no le pidiera que fuera dama de honor porque entraría en terrible conflicto con los nuevos conjuntos de pesadilla y el colorido de la decoración—. Bueno, cuéntame más cosas sobre ese tal Steve.

—No hay mucho que contar —respondes—. Parece agradable.

Tu amiga hace una mueca.

—¿Agradable? ¡Uf! Suena aburrido. —A Lisa no le va lo agradable… ni lo aburrido. Su última novia fue una publicista con más *piercings* y tatuajes que una convención de moteros.

Te suena el móvil con un mensaje de Jane: «¿Acompañante? ¡¡¡¡NECESITO SABERLO!!!!»

¿Qué haces? ¿Acaso la boda de tu mejor amiga es el mejor lugar para una segunda cita con Steve? Está claro que él encaja en el papel: es guapo y educado, y si lo llevaras evitarías que los parientes de Jane te bombardearan con preguntas sobre tu vida amorosa. Pero no sabes si estás de humor para pasarte toda la boda haciendo de niñera de un tipo al que apenas conoces, presentándoselo a todos y explicando cómo os conocisteis. Y en realidad no quieres contarle a todo el mundo que sólo has salido una vez con él. Quizá podrías evitar dar detalles sobre ese punto. Pero lo más importante es: ¿de verdad quieres que Steve te vea con ese espantoso vestido de dama de honor? Es probable que después del susto salga huyendo para siempre.

Tal vez sea mejor que vayas sola a la boda. Al fin y al cabo, Lisa también va a ir sola y, pese a su cinismo nupcial, es muy divertido pasar el rato con ella. Si vas sola podrás soltarte la melena con Lisa y no tendrás que agobiarte por si tu acompañante se está divirtiendo o no. Y nunca sabes con quién podrías encontrarte en la boda... ¿No comentó algo Jane sobre que el *disc-jockey* estaba muy bueno?

Si quieres llevar a Steve a la boda como tu acompañante, ve a la página 20

 Si quieres ir a la boda sola, ve a la página 176

Has decidido ir a la boda con Steve

No puedes evitar sentirte un poco pagada de ti misma. Sin lugar a dudas, tomaste la decisión acertada al elegir a Steve como acompañante.

Allí estás, de camino a una boda a principios de verano, en un descapotable clásico rojo y con un chico guapísimo a tu lado, la estrella de tu estereotipo de película romántica. Te reclinas en el asiento, te relajas y disfrutas de la sensación de la brisa deslizándose por tu piel. También ayuda el hecho de que Steve es más atractivo incluso de lo que recordabas. Alto, delgado y con una sonrisa de oreja a oreja. Te mueres por entrar en el hotel de su brazo. A Jane se le saldrán los ojos de las órbitas y seguro que hasta Lisa se quedará impresionada.

Hay algunos detalles que te inquietan: todavía no has podido averiguar cómo se gana la vida exactamente (según dijo, realiza una especie de formación para clientes corporativos), pero tiene trabajo, dice que ha viajado mucho y parece que le gustas un montón. Claro que te preocupa el afán con el que ha aceptado ser tu acompañante en la boda y el entusiasmo con el que se ha ofrecido a llevarte en coche al lugar donde va a celebrarse, que está en el campo, pero la preocupación se desvanece cuando te pasa a buscar por tu casa puntual y te acompaña hasta el asiento del pasajero. Incluso te ha traído un pañuelo de seda para que te protejas el pelo del viento, y tú te sientes un poco como Grace Kelly mientras él te lleva por las afueras de la ciudad y la gente os lanza miradas de admiración.

De momento, va todo bien.

Llamaste por teléfono al lugar de la boda, una de esas casas solariegas convertidas en hotel de lujo, para reservar otra habitación para él, pero ahora, al mirar a tu pareja que conduce con habilidad y soltura con sus gafas de sol y una camiseta ceñida, una pérfida parte de ti se pregunta cómo habría sido compartir habitación.

Dejáis atrás la ciudad y el tráfico. Steve ha programado el GPS para que os lleve por la ruta pintoresca y enseguida os encontráis atravesando las colinas de la campiña por estrechas carreteras rurales. Los setos están llenos de flores y, de vez en cuando, el chapitel de la iglesia de algún pueblo asoma en los valles al abrigo de las laderas inclinadas. No habéis hablado mucho, os contentáis con ir mirando el paisaje, pero es un silencio cómodo, como si os conocierais desde hace siglos.

Sin apartar la vista de la carretera, Steve alarga el brazo y entrelaza los dedos con los tuyos.

—¿Tienes hambre? —te pregunta.

Esta mañana has estado tan ocupada preparándote que te has saltado el desayuno. No estaría de más picar algo en algún *pub* rural con encanto.

—Me vendría bien comer algo —respondes.

Steve aminora la marcha y se detiene a un lado de la carretera a las afueras de un pequeño pueblo. No habéis llegado a un *pub* rural acogedor, sino que estáis en medio del campo.

—¿Por qué nos paramos aquí? —preguntas.

—Espera y verás. —Se dirige al maletero con paso resuelto y saca una cesta de *pic-nic*.

—¡No me digas que has preparado un *pic-nic*!

—Pensé que sería un buen plan. —Señala un roble grande que se alza en un claro en medio de un campo de trigo oscilante. Una señal indica un sendero público que asciende por una pendiente en curva y que pasa junto al árbol. Es un escenario demasiado perfecto para ser real. Miras en derredor buscando la orquesta escondida, pero lo único que oyes son los pájaros y el runrún distante de un tractor.

Steve te toma de la mano y te ayuda a tomar el sendero como un caballero. Vais paseando, y la hierba suave y los dientes de león que bordean el camino te hacen cosquillas en las piernas desnudas. Cuando llegáis al claro bajo el roble, él extiende una manta de angora y tú te quitas los zapatos y te sientas a su lado mientras él empieza a sacar las cosas de la cesta. Increíble. Sándwiches sin corteza. Magdalenas de chocolate. Y una botella de Chardonnay metida en una manga enfriadora.

—¿Todo esto lo has preparado tú? —preguntas.

—Claro.

—¡Vaya! Y llevas soltero... ¿cuánto tiempo?

Se muestra un poco tímido.

—Me lo tomo con calma. Pero creo que, si salgo y estoy abierto a la oportunidad, llegará la mujer adecuada. Sólo tengo que seguir confiando.

Te sirve una copa de vino y él se pone sólo un poquitín.

—Tengo que conducir —explica, y se encoge de hombros. Mmm, encima es responsable. A continuación, te ofrece un sándwich y una servilleta de verdad, de lino. Está delicioso, es una sencilla combinación de pan integral, mantequilla, un suculento pollo asado y un toque de romero fresco. Suspiras satisfecha y tomas un sorbo de vino, que es igualmente bueno.

Las magdalenas son mejores aún, con un relleno de chocolate negro que rezuma y que está de vicio.

—¿También las has hecho tú? —le preguntas, y te chupas los dedos.

—No, ahí no puedo llevarme el mérito. En la esquina de mi calle hay una panadería que está muy bien. Sus magdalenas son legendarias. He pasado por allí esta mañana a primera hora.

Justo cuando pensabas que las cosas no podían ir mejor, Steve alarga la mano y te pone un diente de león detrás de la oreja. Sientes un cálido estremecimiento en la boca del estómago y te mueves un poco para acercarte más a él. Te recorre el brazo con la mano, te acaricia lentamente el hombro y el cuello, y sus dedos se enredan con suavidad en tu pelo. Luego retira las manos y por un momento te quedas desconcertada, pero ves que está apartando toda la parafernalia del *pic-nic*. Te estremeces con expectación. Dejas de oír el canto de los pájaros cuando Steve se inclina hacia ti y experimentas ese momento delicioso en que sabes que estáis a punto de daros vuestro primer beso de verdad. Y no te decepciona.

Steve no se precipita, pero tampoco vacila demasiado, y te fundes de placer cuando desliza su lengua entre tus labios. Te recuestas sobre la suave manta de angora, le rodeas el cuello con los brazos para que se incline contigo y te entregas a sus besos apasionados. Este hombre es un maestro en el arte de besar, se toma su tiempo y te pasa las manos por el pelo. Notas un bulto impresionante contra el muslo y resistes la tentación de tocarlo… al menos de momento.

Ya estás sin aliento cuando baja la boca hacia tu cuello, moviéndola poco a poco al tiempo que te acaricia con ella, y, cuando te atrapa el lóbulo de la oreja entre los dientes, tú exploras con los dedos los magníficos músculos de su espalda.

Steve se detiene, se separa un momento y te mira a los ojos. A continuación, te baja uno de los tirantes de tu vestido veraniego por el hombro.

—Sí —murmuras, mientras deslizas las manos por su espalda y se las metes por debajo de la camiseta. Tiene la piel cálida, y le recorres la cintura con la punta de los dedos hasta llegar al estómago, ansiosa por ver si sus abdominales son tan agradables al tacto como promete su aspecto. Lo son.

Pero su propio viaje te distrae del tuyo cuando su boca desciende aún más, se abre paso a besos por tu clavícula y baja hacia tu escote. Tira de la tela de tu vestido, te rodea el pecho desnudo con la mano y poco a poco, con vacilación, te besa de forma tentadora el pezón. Notas que sus dedos te bajan el otro tirante, dejando tus dos pechos expuestos al aire cálido y al placer de su boca.

A continuación, baja más la mano, la desliza por debajo de la falda, y te recorre la piel del muslo, rozando el interior con las yemas de los dedos mientras que con la lengua te envuelve una y otra vez el pezón y luego se mueve para colmar de atenciones al otro. Suspiras cuando la brisa suave juguetea sobre tu pezón ahora húmedo y hace que te estremezcas de deseo.

Su mano va subiendo entonces hasta tus bragas, que ya están completamente mojadas, y separas un poco los muslos para darle acceso. Sueltas un largo jadeo entrecortado cuando te frota la raja en toda su longitud, de arriba abajo. Empieza con suavidad y luego aumenta la presión de los dedos sobre la tela. Primero te acaricia con sólo dos dedos y luego con cuatro, que ejercen más presión al acercarse al pubis y te dan unos golpecitos en el clítoris cada vez que pasan por ahí. Tienes la sensación de que esa fina tela es lo único que impide que te corras en ese mismo momento.

—Por favor… —dices, y alzas las caderas mientras él te roza suavemente un pezón con los dientes. En respuesta a tu apremio, notas que te mete los dedos por debajo de las bragas y sabes que está a punto de tomarte como es debido, y se te acelera la respiración…

Abres los ojos de golpe al oír el repentino rugido de un motor, y ves aparecer un tractor que avanza con un traqueteo. Te separas de Steve a regañadientes, te subes los tirantes del vestido y te bajas la falda. Él te sacude la hierba de la espalda con suavidad. Estás tentada de no hacer caso del público asistente, pues estabas muy cerca de correrte a gusto, pero a duras penas conoces a ese chico, de modo que quizás haya sido una buena cosa que el Granjero Brown apareciera cuando lo hizo. Quién sabe lo lejos que podrían haber ido las cosas si no os hubieran interrumpido.

Volvéis al coche, y sientes el delicioso hormigueo del vino en la cabeza y el de los hábiles dedos y la boca de Steve en tu cuerpo. Te pica un poco la piel por la hierba, pero notas la caricia del sol y la de los besos de hace un momento… y esperas que después haya más. ¡Y pensar que estabas considerando la posibilidad de ir sola a la boda!

—¿Te apetece un poco de música? —pregunta Steve.

—Claro —contestas.

Manipula su iPod y al cabo de un instante suena un clásico del rock blando de los ochenta a todo volumen. No es precisamente lo que tenías en mente.

—Elige otra cosa si quieres —te grita por encima de los Foreigner, Chicago, Meatloaf o lo que sea que suena con estridencia por los altavoces haciendo que te sangren los oídos.

Buscas en su iPod. Dios mío. Hay varios álbumes de «lo mejor de» Celine Dion o Jennifer Rush, la banda sonora de *El diario de Noa* y una recopilación de los Westlife. Sientes una punzada de inquietud. No hay duda de que este chico está en contacto con su lado romántico, quizá demasiado en contacto. De todos modos, tampoco es como si escuchara música de zampoña, ¿no? Podría ser peor.

Es peor.

Cuando la siguiente canción alcanza su punto culminante empieza a cantar. Te lanza una mirada cargada de significado mientras gorjea a voz en cuello que sólo quiere sabeer qué es el amor. Con un gusto musical tan hortera no estás segura de que quieres enseñarle.

Le sonríes con vacilación y te revuelves en el asiento. Te está tomando el pelo, seguro. Está fingiendo que es un cursi. Tiene que ser eso. Por suerte, la canción cambia y él deja de cantar.

La carretera transcurre serpenteante y pasa junto a las altas entradas de varias casas solariegas, a cuál más espectacular. Ya habéis penetrado de verdad en el territorio de las bodas de fin de semana. Coronáis una ladera, pasáis una curva y aparece a la vista vuestro destino, que se despliega por debajo de vosotros en todo su pintoresco esplendor. Sabías que sería un lugar precioso (Jane explotó al máximo todos los contactos que tenía Cee Cee como organizadora de bodas), pero lo que ves te deja sin aliento.

Una mansión de piedra goza de la luz del sol, con ese aspecto que adquieren las cosas cuando tienen siglos de antigüedad. Los jardines se extienden en todas direcciones con un césped muy bien cuidado que se expande hacia un bosquecillo. Un riachuelo que corre junto a un muro de piedra separa los jardines de un prado en el que pastan las ovejas. Un capricho arquitectónico construido con mucho ingenio atrae la mirada hacia la cima de una pendiente, y por detrás de la mansión ves la torre de una capilla construida con la misma piedra dorada. A medida que el coche avanza haciendo crujir la grava del largo camino de entrada, el brillo de un lago que hay tras una hilera de sauces atrae tu mirada. ¿Son cisnes eso que hay en el agua? Lo son.

Steve detiene el coche delante de las escaleras que suben hasta la entrada de la casa solariega que ahora es uno de esos hoteles tremendamente exclusivos. Se apea de un salto y rodea el coche a paso ligero para abrirte la puerta. Bajas y te estiras contemplando el lago, disfrutando del perfume de las rosas y del silencio, que se rompe con la cacofonía de unas voces infantiles seguidas de los gritos de una mujer:

—¡París! ¡Sácate el dedo de la nariz ahora mismo!

Te das la vuelta y ves que se acercan la prima de Jane, Noeleen, su esposo Dom (por razones obvias, estos dos han dejado de ser los Brangelina para convertirse en los Domino) y su prole.

—¡Hola! —saluda Noe, que lleva a una cría agarrada al tobillo. Dom aparece detrás con otra aferrada a su espalda como un chimpancé. No tienes ni idea de cómo se las arreglan para manejar a tres hijas, todas menores de siete años, sin atiborrarse de tranquilizantes.

Noe se detiene y contempla a Steve abriendo mucho los ojos. Mientras éste le estrecha la mano a Dom, Noe te mira y te dice, articulando para que le leas los labios: «¡Guau!» No puedes evitar sentir un súbito orgullo.

—¡Mamá! ¡*Yodabell* quiere ver los cisnes!

—¿Yodabell? —preguntas con recelo. Todas las hijas de los Domino tienen unos nombres ridículos (no recuerdas si la enana que ahora mismo le tira de las faldas a Noe se llama Manhattan o Tokio), pero Yodabell es un nombre estrafalario, incluso para esta familia.

—*Yodabell* es el ratón que tienen de mascota —explica Dom con un suspiro—. Se empeñaron en traerlo.

En aquel preciso momento, un ratón pinto trepa hasta el hombro de la mayor de las niñas. No eres muy amante de los roedores en general, pero éste te da lástima: tiene la misma expresión de sufrimiento prolongado que Dom.

—Todo el mundo va a reunirse en el bar para tomar unas copas —te grita Noe mientras una marea infantil se la lleva a rastras junto con su marido—. Os veo dentro de un rato.

—¿Por qué no te registras en recepción? Aparcaré el coche en la parte de atrás y traeré el equipaje —dice Steve.

Le sonríes y, cuando te das media vuelta, él te agarra de la mano, te atrae de nuevo hacia sí y te rodea la cintura con los brazos.

—¿Qué, no me das un beso de despedida? —murmura, y tu risita tonta se convierte en un grito ahogado cuando aprieta la boca contra la tuya y su lengua busca la tuya una vez más con un beso tan apasionado que te deja sin aliento. Casi lamentas que no haya público: allí estás tú, recibiendo un beso como si fueras una estrella de cine de los cincuenta contra un descapotable clásico frente a un magnífico hotel rural. Y sí, tiene un gusto musical horrible, pero nadie es perfecto…, y el tío besa de fábula, además de preparar unos sándwiches de primera.

Después de besarte a conciencia, dos veces, Steve te suelta por fin y desaparece en dirección al discreto cartel en el que se lee «APARCAMIENTO PARA INVITADOS». Tú subes flotando por los anchos escalones de piedra y entras en la recepción.

De acuerdo, si Cee Cee fue la responsable de encontrar este sitio, puede que tengas que cambiar de opinión sobre su gusto. La decoración tiene el encanto de una casa de campo: todo son muebles pulidos y antiguos y cretona de colores tenues, jarras de cobre reluciente y jarrones de porcelana que derraman rosas y hortensias pasadas de moda en todas las mesas. Un reloj de pie hace tictac, y la luz del sol entra a raudales por el vidrio emplomado y cae sobre las alfombras persas del suelo. Al fondo del pasillo, divisas un bar de estilo victoriano con paneles de madera, oscuras pinturas al óleo y la cabeza astada de un ciervo colgada encima de una regia chimenea.

Le das tu nombre al recepcionista que está detrás del mostrador y una idea vaga se te pasa por la cabeza. No hay ningún motivo por el que no pudieras compartir habitación con Steve. Sería bastante atrevido, pero aún te tiemblan las piernas del beso que te ha dado fuera y no puedes evitar querer más. Pero, claro, en realidad no lo conoces, ¿no? Tal vez deberías tomártelo con calma.

Si decides registrarte en una habitación para ti sola,
ve a la página 33

 Si decides compartir habitación con Steve,
ve a la página 35

Has decidido registrarte en una habitación para ti sola

Has decidido coger una habitación para ti sola. Al fin y al cabo, no hay ninguna ley que te obligue a dormir en ella si luego decides cambiar de planes, ¿no? Y si con Steve la cosa no funciona, al menos tendrás tu propio espacio. Sigues al recepcionista por un pasillo con paneles y con rincones en los que hay sillas antiguas y escritorios, y el hombre se detiene frente a una pesada puerta de madera.

A continuación la abre y te hace pasar.

Es extraño. Sobre una silla hay una camiseta negra y un par de vaqueros. Se abre la puerta del cuarto de baño, y un hombre que no lleva más que una toalla a la cintura sale silbando.

Os quedáis mirando unos segundos y te pones como un tomate. No hay duda de que está en forma y casi se te escapa un silbido. Tiene unos abdominales que quitan el hipo y sus brazos musculosos están decorados con intrincados tatuajes negros.

El recepcionista revolotea por detrás de ti balbuciendo algo sobre una confusión de habitaciones.

—No me importa compartirla —dice el señor Tatuado.

Te sonrojas otra vez.

Sin dejar de pedir disculpas, el recepcionista te arrastra al mostrador de la entrada y teclea en su ordenador.

—Lo siento mucho, señora —te dice, al borde de las lágrimas—, pero estamos completos.

Por lo visto la decisión ya no está en tus manos. Al final no te queda otra que compartir habitación con Steve.

 Ve a la página 37

Has decidido compartir una habitación con Steve

El recepcionista te acompaña por un largo pasillo adornado con motivos botánicos y te hace pasar a una habitación enorme en la que domina una cama blanca con dosel. Las paredes están cubiertas de papel pintado *toile de jouy* en tonos suaves azules y blancos. Las cortinas de muselina ondean con la brisa que entra por unas cristaleras abiertas que dan a un balcón. Te asomas al cuarto de baño, que tiene un sillón orejero antiguo, velas suficientes para iluminar una pequeña iglesia y un *jacuzzi* enorme en un rincón. Si ésta es una habitación normal, ni te imaginas cómo debe de ser la *suite* nupcial.

Le das las gracias al recepcionista por su ayuda y sales al balcón, que tiene vistas a un jardín de rosas bordeado por unos arbustos de lavanda podados con precisión. Respiras hondo, inhalando el aire embriagador, y mueves los hombros. Podrías acostumbrarte a esto.

—Hola. —Una voz te saca de tu ensimismamiento. En el balcón de al lado hay un hombre alto, delgado y musculoso. No lleva más que una toalla atada a su estrecha cintura y parece sentirse completamente a gusto medio desnudo. Le devuelves el saludo con la mano, intentando no quedarte con los ojos clavados a sus bíceps impresionantes adornados con tatuajes sinuosos.

—¿Tú también has venido a la boda de Jane y Tom? —te pregunta.

Asientes con la cabeza. ¿Quién es este chico? Creías conocer a todos los amigos de Jane, y éste no es de la clase de hombres que olvidarías fácilmente, con esos tatuajes impresionantes y esos pómulos que podrían cortar el cristal. Tampoco tiene aspecto de ser uno de los amigos de Tom, la mayoría de los cuales son bastante conservadores, a excepción de Mikey, su padrino, un macho maníaco que es cirujano y tiene una moralidad que deja mucho que desear.

—Disculpa mi atuendo —dice. Se oye el tono de una llamada procedente de su habitación. Sonríe mostrando unos dientes de un blanco cegador—. Será mejor que conteste. ¿Te veo luego?

—Claro —murmuras, y regresas dentro. ¡Uf! Quizá no deberías compartir la habitación con Steve, después de todo, y menos con esa clase de portentos rondando por ahí. Llamas al recepcionista para preguntar por la habitación extra que habías reservado para Steve. Después de mucho musitar, vacilar y disculparse con nerviosismo, te informa de que ha habido una confusión y que la otra habitación que reservaste se ha ocupado. «Bueno», piensas. Tal vez tenía que ser así.

 Ve a la página 37

Compartes habitación con Steve

Te hundes en la cama con dosel. Es puro lujo. Sientes un torbellino de nervios al preguntarte cómo reaccionará Steve cuando se dé cuenta de que vais a compartir habitación, pero, después de la forma en que te ha besado delante del hotel y del punto al que habéis llegado en aquel campo, dudas mucho de que no le guste la idea. Y, si vas a ser mala, has elegido el mejor lugar para ello, piensas mientras te arrebujas en la cama blanca gigantesca.

Se abre la puerta y entra Steve con tu bolsa colgada al hombro y un botones que arrastra una maleta enorme, el doble de grande que la tuya.

Steve le da una propina desmedida al botones y cierra la puerta.

—Espero que no te importe compartir habitación —dices.

Vuelve a esbozar su atractiva sonrisa. Te acercas a él y sientes de nuevo ese conocido zumbido en el estómago. Pero, en lugar de acercarse a ti y ponerse en plan íntimo, se deja caer de rodillas y abre la cremallera de su maleta.

—Ahora vamos a bajar al bar para conocer a los demás invitados, ¿no? —pregunta.

Parpadeas.

—Sí.

—Bien, antes de conocer a tus amigos, hay una cosa que tengo muchas ganas de enseñarte. Prepárate, porque esto te va a dejar alucinada y te abrirá a toda una nueva manera de ver el mundo. Pensamiento creativo en su máxima expresión.

Esto no presagia nada bueno. Y ¿qué puede haber en esa maleta enorme? ¿Ropa de mujer? ¿Juguetes para practicar sexo duro? ¿El cadáver de Celine Dion?

Steve abre la maleta de golpe. Está llena de DVD y, horror de los horrores, en las carátulas aparece un Steve sin camiseta y con gafas de sol de espejo sentado a horcajadas en una Harley-Davidson. Te pasa uno. El título, ¡VENGA, HOMBRE, TÚ PUEDES!, va seguido de la frase: «La guía molona de Steve para una genialidad asegurada: libera tu potencial interior oculto».

¡Ay, no!

—Te diré lo que haremos —dice—. Después de conocer a tus amigos, ¿qué te parece si averiguo si el hotel puede prestarnos un reproductor de DVD? Me muero de ganas de enseñártelo.

Notas que la cara se te queda del color del papel. Él sigue hablando:

—Es genial tener la oportunidad de compartir esto contigo y con tus amigos, Babe.

Babe. Te ha llamado «Babe». ¡Aaay, no!

Se quita la camiseta y deja al descubierto su vientre bronceado con los músculos marcados, los mismos músculos que tocaste antes. Unos músculos que ya no te parecen nada sexys. Se pone una camiseta de un color amarillo fosforito en la que pone: «VENGA, HOMBRE, TÚ PUEDES» con letras de cómic chillonas en la parte delantera.

¡Qué horror!

—Steve…, esto…, la camiseta —logras decir—. ¿No te parece un poco excesiva?

—Creo que tienes razón, Babe. No quiero llegar a la cumbre del éxito demasiado rápido. —Te sonríe y vuelve a ponerse la camiseta menos ofensiva—. ¿Vamos?

* * *

Oyes risas y los chillidos de la prole de Domino procedentes de la zona del bar. Estás tentada de salir corriendo. Quizá puedas robarle las llaves del coche a Steve y marcharte. Cuando cruzas el vestíbulo, el recepcionista te hace señas.

—Disculpe, señora. ¿Puedo hablar con usted un momento? —Vuelve la mirada hacia Steve y percibes una sombra de lujuria en sus ojos.

—Te espero ahí dentro —te dice Steve, que te hace un gesto con los dos pulgares hacia arriba y entra en el bar andando con toda la calma.

El recepcionista arranca la mirada de Steve y vuelve a centrarse en ti.

—No sé si aún sigue interesada —dice, y lanza otra mirada lujuriosa en dirección a Steve—, pero puedo ofrecerle una habitación. Es la mitad del tamaño de una *suite* familiar, lo cual significa que tendrá que compartir el cuarto de baño…

—Me la quedo —dices, y le arrebatas la llave de la mano. Ahora mismo dormirías en el suelo de un granero si tuvieras que hacerlo.

Respiras hondo y te diriges al bar. Steve ya está conversando con un chico fornido que lleva un traje oscuro, una mujer alta y esbelta y un hombre sumamente atractivo con alzacuellos.

Jane corre a tu encuentro y te da un abrazo.

—¿Ése de ahí es tu acompañante? —te pregunta señalando a Steve—. Es guapísimo. Eres una caja de sorpresas.

—¿Con quién está hablando?

—Con mi hermano, por supuesto.

Bruno está de espaldas a ti, pero parece ser que ha crecido bastante y ha perdido peso desde la última vez que lo viste. Se da la vuelta para mirarte como si notara tus ojos clavados en él y te saluda. Tiene la misma sonrisa torcida y la misma mata de pelo que cuando erais niños. Rodea con el brazo a la mujer alta, una de esas personas que te hace sentir desaliñada al instante. Es elegante, con el cabello reluciente y no lleva maquillaje. No posee un atractivo convencional, pero sí llamativo.

—Ésa es Cat —te informa Jane—. Es estupenda. Te encantará. Y ése es el padre Declan —dice señalando al sacerdote.

—¿El padre Declan? ¿El mismo por el que estuviste completamente colada en secreto durante años?

Jane se echa a reír.

—¿Acaso me culpas?

No la culpas. El hombre tiene un leve aire desaliñado y un porte despreocupado, unos ojos delineados por unas gruesas pestañas negras, de esas que siempre hacían decir a tu abuela: «Dios puso esos ojos con los dedos manchados de hollín». Las líneas de expresión de su cara indican que sonríe mucho, y en ese preciso instante estalla en carcajadas por algo que Steve le está contando. Esperas que se esté riendo con Steve y no de él.

Lisa te hace una mueca desde el otro lado de la estancia, donde se encuentra arrinconada por Cee Cee, que sin duda está parloteando sobre los exquisitos detalles de la decoración, en la que las servilletas combinan con los vestidos. Saludas con la mano a Tom, el prometido de Jane, que está apoyado en la barra en compañía de un hombre que lleva una camisa caqui arrugada. Es Mikey, el padrino.

—Mikey vuelve a estar soltero —te informa Jane. Le lanzas una mirada severa—. No te preocupes, aunque no te hubieras presentado con un acompañante que hace que a su lado Ryan Gosling parezca el hombre elefante, él ya sabe que no eres la clase de chica que caería rendida ante sus patéticas frases seductoras.

No, tú eres de esa clase de chicas que va a una boda con un completo desconocido que resulta ser un fanático aspirante a gurú de la autoayuda.

Mikey te dirige una sonrisa perezosa y calculadora. Sobre el papel, es de ese tipo de hombres que serían la estrella de una telenovela romántica de hospitales, un inconformista que recorre el mundo con Médicos Sin Fronteras. En realidad, sabes que, a pesar de lo noble que parece su trabajo, es un mujeriego empedernido que tiene problemas con Hacienda.

—Será mejor que circule —dice Jane—. ¡Me muero de ganas de conocer mejor a Steve! —Y parece ser que Jane no es la única. No hay duda de que su tía Lauren, una mujer sexy de cierta edad que adquirió mala fama como modelo y fotógrafa de vanguardia en los años sesenta y posteriores, está dando vueltas alrededor de Steve al tiempo que hace girar su larga boquilla negra. Y varios miembros del servicio, tanto hombres como mujeres, también revolotean muy cerca de él. Lo cierto es que si pudieras taparle la boca a Steve con cinta adhesiva podrías llegar a disfrutar de la situación.

—Hola otra vez. —Te das la vuelta y ves al chico de los tatuajes con el que te encontraste antes. Está igual de guapo vestido que con la toalla que llevaba.

—¿Novia o novio?

—Sólo soy una invitada —respondes.

Él se echa a reír.

—Lo que quiero decir es si eres amiga de la novia o del novio.

—¡Ah, perdona! Supongo que de los dos. ¿Y tú?

—Me encargo de la música de la boda.

—¡Vaya! Tú debes de ser DJ Salinger. —Jane no mentía cuando dijo que estaba bueno—. Y ¿cómo es que has venido para todo el fin de semana?

—Tom es mi veterinario. Me ha ayudado un montón de veces en el pasado. Tengo un gato viejo que es muy dado a las emergencias en mitad de la noche, y ésta es mi forma de devolverle el favor. Cuando me sugirió que viniera a pasar el fin de semana, pensé: ¿por qué no?

—¿Salinger es tu verdadero apellido?

—No. Antes de estudiar ingeniería de sonido hice un máster en literatura inglesa y me pareció que sería un buen alias. Puedes llamarme JD.

Señala las puertas que se abren al porche con unas vistas espectaculares de prados y árboles.

—¿Te apetece tomar un poco el aire?

Steve sigue entreteniendo a la tía Lauren, al padre Declan y a Bruno y su novia perfecta con quién sabe qué. ¿Deberías acercarte a ellos para asegurarte de que no intenta lavarles el cerebro con psicología barata de autoayuda? ¿O prefieres visitar una ciudad llamada «rechazo» y charlar con el *disc-jockey*?

Si decides hablar con el disc-jockey, *ve a la página 45*

 Si decides acorralar a Steve antes de que te ponga en evidencia, ve a la página 48

Has decidido hablar con el disc-jockey

JD coge al vuelo una copa de champán de un camarero que pasa por allí, te la ofrece y te acompaña al porche. Alguien debería enmarcar esos pómulos, y sus labios son tan carnosos y sensuales que te entran ganas de recorrérselos con el pulgar. También ayuda el hecho de que sea uno de esos hombres calentorros a los que Lisa daría su visto bueno.

—Así que ¿has venido con alguien? —pregunta.

La tentación de meterle una trola es inmensa. Pero te acuerdas de una de esas películas en las que la protagonista miente y se ve metida en un sinfín de problemas.

—Con un amigo.

—¿Tu novio?

—No, por Dios.

—Interesante. —JD te sostiene la mirada durante un segundo que se hace eterno y de repente te cuesta tragar saliva.

—¿Y tú? —logras decir por fin—. ¿Estás aquí con alguien?

Él sonríe con aire perezoso y se le forma un hoyuelo junto a esos labios tan apetecibles.

—Todavía no.

—Ya decía yo que eras tú, Mofeta —suena una voz por detrás de ti. Te das media vuelta y ves que se acercan Bruno y su novia.

—¿Mofeta? —JD arquea una ceja.

—Bruno me llamaba Mofeta cuando éramos niños —explicas, más que molesta—. Le encantaba empujarme y hacerme caer encima de las boñigas de vaca.

Bruno se ríe.

—Pero tú te vengaste —te dice—. Ahogó a mi Action Man en el retrete —les explica a JD y a Cat.

Cat te sonríe y se presenta.

—Hemos estado hablando con un chico divertidísimo —comenta.

—¿En serio? —respondes entre dientes. Antes de que puedas explicar que apenas lo conoces, una voz familiar exclama en tono cantarín:

—¡Babe! Estás aquí. —Steve se acerca a ti dando saltitos, seguido de la tía Lauren—. Lauren se muere de ganas de ver uno de mis DVD.

Te arde la cara de vergüenza, pero aun así se lo presentas a JD, que te mira con expresión burlona.

—¿DVD? —pregunta Bruno.

—No preguntes —mascullas.

JD os mira a ti y a Steve, se excusa y se marcha dirigiéndote una sonrisa pesarosa.

—¿Esta noche vas a venir a la despedida de soltero? —le pregunta Bruno a Steve—. Vamos a salir a tomar unas copas, nada del otro mundo.

Steve chasquea los dedos.

—¡Claro que sí! Oye, he tenido una gran idea. ¡Vuelvo dentro de un minuto! —Gira sobre sus talones y se va corriendo.

—Es el chico con el que estábamos hablando antes —dice Cat—. No sabía que estabais juntos.

Bruno te sonríe con suficiencia. Está claro que no ha cambiado. Quizá sea un buen momento para rescatar a Lisa, que aún está aguantando la verborrea de Cee Cee. Lo que sea con tal de escapar de ésta.

 Ve a la página 50

Has decidido acorralar a Steve antes de que te ponga en evidencia

Te acercas con sigilo al pequeño grupo que rodea a Steve. ¡Menos mal que están hablando de coches!

—¡Hola, Mofeta! —te saluda Bruno.

Contienes las ganas de responderle: «¡Hola, gilipollas!»

—¿Mofeta? —te pregunta Cat, la novia de Bruno, con una sonrisa.

—Es lo que solía llamarme cuando éramos niños —explicas apretando los puños—. Aunque, a decir verdad, era él quien apestaba un poco.

—Bueno, Steve —ronronea la tía Lauren—. Cuéntanos más cosas sobre ti. ¿A qué te dedicas?

—¡Steve! —intervienes, desesperada por cambiar de tema—. Esto... Quizá podríamos ir a buscar un DVD, ¿no? Recuerda que querías enseñarme una cosa.

Bruno arquea las cejas.

—¿Un DVD? ¿Una sorpresa para la despedida de soltero de después?

—Querido, dime que has hecho un vídeo de sexo casero, por favor —dice la tía Lauren con los ojos muy abiertos y una expresión de deleite. El padre Declan pone cara de estar reprimiendo una sonrisa.

Tú haces una mueca.

—Yo...

—Hablando de la despedida de soltero, ¡tengo una gran idea! —exclama Steve—. ¡Te va a encantar, Babe! Ahora vuelvo. —Se aleja a toda prisa.

Lisa te está haciendo señas; no hay duda de que necesita desesperadamente que alguien la rescate de las garras de Cee Cee. Bruno te dirige una sonrisa de satisfacción mientras tú te disculpas y te escabulles para ir con Lisa.

 Ve a la página 50

Vas a rescatar a Lisa de las garras de Cee Cee

Te reúnes con Lisa y Cee Cee. Ésta da dos besos al aire a ambos lados de tu cabeza y a continuación se aleja para ir a hablar con los Domino, que hacen juegos malabares con el ratón, las niñas, los canapés y las copas con la misma habilidad que los artistas del Cirque du Soleil. Bruno y Cat salen tranquilamente de la habitación cogidos del brazo, charlando sin parar.

—¿Era Steve ése al que he visto salir corriendo? —pregunta Lisa—. ¿El agradable y aburrido Steve?

—Sí. Pero no es tan aburrido como parece. Por desgracia. Tendrías que ver lo que lleva en la maleta.

A Lisa le brillan los ojos.

—¡Oooh! Suena interesante. Cuéntamelo todo.

Estás a punto de ponerla al corriente, cuando Steve irrumpe en la habitación con un montón de camisetas de color amarillo en los brazos.

—¡Chicos! ¡He pensado que serían perfectas para esta noche! —grita, y ves horrorizada que se pone a repartirlas. Mikey se ríe entre dientes, se quita la camisa y se pone una de las camisetas. Tom, que sin duda está siendo amable, hace lo mismo. Hasta el padre Declan parece que se apunta.

—¿«Venga, hombre, tú puedes»? —Lisa suelta un resoplido—. ¿Quién es este tipo?

—No tengo ni la más remota idea —respondes.

Como Steve está ocupado, te disculpas con la excusa de que quieres refrescarte un poco y te escabulles a tu nueva habitación, una individual que comparte el cuarto de baño con la *suite* de al lado.

La habitación no es tan lujosa como la que ibas a compartir con Steve, pero te da igual. Te dejas caer en la cama. Quizá Lisa te ayude a encontrar la forma de zafarte de Steve. Ella se ha librado de relaciones complicadas tantas veces como tú te has cambiado de ropa.

A ver, no quieres ser cruel; Steve no parece mala persona. Pero el tema de la autoayuda es más que suficiente para borrar cualquier interés que pudieras tener por él, por muy bien que bese. Tendrías que haberte imaginado que ese atractivo era demasiado bueno para ser verdad.

Lo último que te apetece ahora es volver al bar y evitar a Steve, y, después del trayecto en coche, te sientes polvorienta, de modo que decides pasarte los problemas por agua.

Entras a una habitación enorme revestida de mármol. En un rincón hay una bañera con patas en forma de garra colocada en diagonal y, en el otro, una ducha inmensa y lujosa.

Si quieres darte un baño de espuma, ve a la página 53

 Si quieres darte una ducha, ve a la página 56

Decides darte un baño de espuma

Dejas correr el agua para llenar la anticuada bañera, vacías en ella hasta la última gota del gel de baño de cortesía y te quitas la ropa. Te metes en la bañera y cierras los ojos con un suspiro cuando el agua y la espuma con aroma a jazmín te envuelven.

Estás en la gloria.

De repente, el sonido de una puerta al abrirse te saca de tu ensueño, y del susto derramas agua por un lado de la bañera. ¡Maldita sea! Olvidaste por completo cerrar la puerta que conecta con la otra habitación.

Te sumerges en el agua, pero no puedes aguantar la respiración eternamente. Sales a la superficie y te encuentras de morros con dos ojos oscuros y una mata de pelo negro.

—Ya me pareció que eras tú, Mofeta —suelta Bruno.

Por suerte, las burbujas esconden la mayor parte de tu desnudez, pero se están disolviendo a toda prisa.

—¿Te importa? —preguntas con brusquedad al tiempo que agarras una toalla facial y te tapas los pechos con el pequeño cuadrado de tela lo mejor que puedes.

—La verdad es que no —responde Bruno mirándote con descaro—. Al fin y al cabo, estás en mi cuarto de baño.

—*Nuestro* cuarto de baño. —Le explicas la confusión con las habitaciones.

—Pero yo pensaba que habías venido con tu novio.

—No es mi novio.

—¿En serio? Me pareció oír que te llamaba Babe.

La verdad es que no te apetece contarle la corta historia de la relación que tienes con Steve a tu archienemigo de la infancia. Así que te sacas una explicación de la manga para salir del paso.

—Es… el mote que me ha puesto. Esto…, por *Babe*. Ya sabes, el de la película, el cerdito que se cree una oveja.

Bruno estalla en carcajadas.

—Vaya, ¡hemos progresado! Has pasado de ser una mofeta a ser un cerdo, ¿eh?

—Sí —respondes altiva.

—Bueno, pues yo que tú ataría en corto a Steve. Tía Lauren cree que es el chico más guapo que ha visto jamás. Y ya sabes lo que eso significa.

—Había olvidado que iba a venir. Al menos estando ella aquí, la diversión está garantizada.

—Eso seguro. Ningún camarero bien dotado estará a salvo. —Se sienta en la tapa cerrada del inodoro—. Bueno, cuéntame, ¿qué has hecho desde la última vez que te vi, aparte de coleccionar motes ridículos?

Le haces un resumen de unos cuantos logros profesionales. Por algún motivo, te parece lo más natural del mundo estar intercambiando detalles de vuestras vidas mientras estás desnuda en la bañera. Bruno te habla de su trabajo de guionista de comedias de situación, y se pone a contar una historia divertida y grosera sobre un actor famoso adepto de la cienciología que actuó en una de sus series.

—A ningún miembro del equipo de rodaje ni de los extras se le permitía mirarlo a los ojos —explica—. Y todo el que midiera más de metro setenta y cinco tenía que abandonar el plató para que él se sintiera más alto. No conseguí que me dieran el día libre, claro. Es lo malo de ser un enano.

Sonríe con timidez, lo cual no concuerda con el Bruno presuntuoso que recuerdas de cuando eras pequeña. ¿Puede haber cambiado? ¿Haber perdido un poco de su engreimiento además de la grasa infantil? Casi se te escapa un comentario sobre que el tamaño no importa, pero decides cambiar de tema.

—Bueno, háblame de Cat —dices—. ¿Cómo os conocisteis?

 Ve a la página 59

Decides darte una ducha

Entras en la ducha y abres el grifo. El agua te cae desde múltiples ángulos y vas girando poco a poco sobre ti misma para que los chorros te alcancen en todo el cuerpo.

Empiezas a enjabonarte despacio, pasándote las manos por los pechos y luego bajándolas hasta los muslos mientras el aroma dulzón del jazmín inunda el cuarto de baño.

Alargas la mano para coger la bolsita que has traído contigo: una mascarilla hidratante para el cabello, o máscara, según pone en la etiqueta, bastante cara, con instrucciones de que debes aplicártela en el pelo dándote masajes y dejarla actuar durante ocho minutos exactamente antes de lavarte con el champú. Rasgas la bolsita con los dientes y te aplicas en el pelo la crema que contiene, para lo cual cierras los grifos mientras te frotas la cabeza. Te agachas para mirar más de cerca los chorros que hay a la altura de los muslos. Mmmm, en ocho minutos podrías hacer muchas cosas con uno de ellos.

De repente, oyes que se abre la puerta que da acceso a la otra habitación. ¡Mierda! Diste por supuesto que estaría echado el pestillo. Te enderezas de golpe e intentas tapar tu desnudez con las manos, doblemente avergonzada no tan sólo porque te hayan sorprendido en la ducha, sino también porque estás segura de que los pensamientos obscenos se te notan en la cara.

¡Oh, no! Es Bruno, y se dirige al lavamanos cantu-
rreando en voz baja. Pone dentífrico en el cepillo de
dientes y empieza a cepillárselos. Tú te quedas paralizada, consciente de que las toallas están en el toallero que
hay al otro lado del cuarto de baño. Cuando Bruno te ve
reflejada en el espejo, se sobresalta y suelta una maldi-
ción; luego se da media vuelta. Vuestras miradas se cruzan durante varios segundos.

—¿Qué estás haciendo en mi cuarto de baño? —pregunta.

—¡*Nuestro* cuarto de baño! Y ¿te importaría darte la
vuelta? —chillas mientras el costoso mejunje que llevas
en el pelo te empieza a gotear por la cara.

Bruno se ríe.

—No te asustes, Mofeta. No veo nada. Por desgracia.

Tiene razón. La puerta de la ducha tiene el cristal con-
venientemente esmerilado desde más o menos la parte
superior del muslo hasta el pecho. Pero, aun así, resulta
raro estar allí de pie desnuda a tan sólo unos pasos de él.

—Y ¿qué quieres decir con eso de «nuestro cuarto
de baño»? —pregunta.

—La única habitación individual disponible era la de
al lado, y está conectada a tu cuarto de baño —explicas.

—¿Cómo es que no compartes habitación con tu novio?

Frunces el ceño.

—¿A ti qué te parece?

—No lo sé, me ha dado la sensación de que es un tío majo. Y de aspecto parece el hijo de David Beckham y Daniel Craig, ¿no es eso lo que os gusta a las tías?

Bruno por un momento parece abatido. Siempre has sospechado que se siente un poco acomplejado por su físico. De adolescente era bajito, con un poco de sobrepeso y lleno de granos. Ha crecido bastante desde entonces, ha perdido peso y los granos, pero, por lo que se refiere a su atractivo, no se puede comparar con Steve ni echándole imaginación.

—El aspecto no lo es todo —dices, pues sientes pena por él. Por un segundo te olvidas de que estás desnuda y de que Bruno era tu enemigo acérrimo—. Me quedan siete minutos para dejar actuar el acondicionador. ¿Por qué no me pones al día de tu vida?

Bruno se sienta en el inodoro y empieza a hablarte de su trabajo como guionista de varias series de comedia. Te hace reír a carcajadas con su parodia de un actor que exigía saber cuál era la *motivación* de su personaje para derramar una taza de café.

—Y ¿qué hay de tu vida privada? —le preguntas—. Cat parece muy agradable.

 Ve a la página 59

Cat se reúne con Bruno y contigo en el baño

Hablando del rey de Roma, por la puerta asoma: entra Cat en el cuarto de baño, vestida sólo con ropa interior: lleva un conjunto a juego, caro y, además, de encaje. Te preguntas si cuando acabe el fin de semana habrás visto a todos los invitados de la boda en cueros.

La joven parpadea mientras asimila el panorama: tú, desnuda, aunque tapada a medias, y Bruno, sentado en la taza del váter.

—¿Interrumpo algo? —pregunta.

—¡No, no! —y acto seguido te apresuras a explicar el desastre de las habitaciones. Ella no parece especialmente preocupada por el hecho de que Bruno lleve allí dentro mucho más tiempo del que le bastaba para descubrir que había una mujer desnuda en el cuarto de baño. Está claro que no es de las celosas.

Cat se sienta en su regazo y te fijas en la confianza y naturalidad con que se tratan. Te pregunta sobre la niñez de Bruno, y durante unos minutos le hablas de ello con pelos y señales. Le da un puñetazo en broma cuando le cuentas que una vez te prendió fuego al pelo y que apagó las llamas vaciándote una jarra de limonada en la cabeza.

—Será mejor que me enjuague y me vista —dices cuando se hace una pausa en la conversación.

—Adelante —te invita Bruno. Cat le vuelve a dar

otro puñetazo en broma, pero acaban marchándose los dos juntos.

Te sorprende lo mucho que has disfrutado charlando con Bruno. Sospechas que sigue siendo un poco cabrón, pero al menos ahora es un cabrón divertido. Y Cat es de esa clase de mujeres con las que no te importaría salir por ahí de vez en cuando. Podía haber resultado mucho más embarazoso de lo que ha sido en realidad.

Terminas de lavarte el pelo, te envuelves en una toalla de baño gruesa y absorbente del tamaño de una vela de barco y entras en la habitación sin hacer ruido llevándote del baño la loción corporal de cortesía. Recuerdas haber leído que es mejor aplicarla con la piel aún caliente y húmeda. Te sientas en la cama envuelta todavía con la toalla esponjosa, te echas un poco de loción en la palma de la mano y empiezas a aplicártela por las piernas desnudas. Huele a fresas, a cítricos y a algo tropical; te relajas dando un suspiro.

Después del largo trayecto en coche y lo que has descubierto sobre Steve, te vendría bien echar una cabezada. Te recuestas en las almohadas y te dices que sólo vas a cerrar los ojos un par de minutos.

Cuando estás a punto de quedarte dormida, oyes que llaman suavemente a la puerta. Te sujetas mejor la toalla y te apoyas en el codo para incorporarte, con la esperanza de que Steve no te haya localizado. Pero es JD el que se asoma por la puerta.

—¿Puedo pasar? —pregunta—. No quiero molestarte.

Estás desconcertada pero intrigada, sobre todo porque entra con sigilo y sólo lleva puestos unos vaqueros, dejando a la vista su magnífico torso y los tatuajes.

—¿Se han hecho un lío con nuestras habitaciones? —preguntas cuando logras apartar la mirada de su pecho y mirarle a los ojos.

—No, nada de eso. Lo que ocurre es que estoy preparando la lista de temas musicales y, aunque ya tengo la petición para el primer baile, pensé que serías la persona ideal a quien preguntarle si hay alguna canción que tenga un significado especial para Jane y Tom.

De entrada, te quedas en blanco, pero luego te acuerdas.

—Sé que está pasada de moda, pero a Jane le encanta «You got a friend». La versión de Carole King.

—Gracias. —No hace ningún ademán de marcharse, y lo miras de manera inquisitiva.

Desvía la mirada hacia la loción corporal que hay en la mesilla de noche.

—Ya que me has hecho un favor, ¿podría servirte en algo? —Se acerca a la cama y te mira con una sonrisa burlona.

Estás completamente desconcertada y eres muy consciente de que estás excitada, adormilada y en pelotas debajo de la toalla.

—Igual necesitas que alguien te unte la piel de crema —sigue diciendo JD.

Lo miras de hito en hito. Lo cierto es que deberías pedirle que se marchara de inmediato, pero te sorprendes extendiendo la mano hacia él con la palma abierta.

—Puedes empezar por el brazo —le ordenas casi con apremio.

La sonrisa de JD deja entrever su dentadura mientras se sienta a tu lado al borde de la cama, te levanta el brazo y se lo coloca en el regazo.

A continuación, se echa crema en las manos y se las frota.

—Relájate y no te preocupes por nada —murmura, y te rodea la parte superior del brazo con las dos manos, con suavidad, formando un grillete de dedos que lo recorren con lentitud y firmeza en toda su longitud. Cuando llega a la mano, te abre la palma y empieza a darte un masaje con los pulgares, amasándote el pulpejo por debajo del pulgar y ejerciendo presión en los puntos sensibles debajo de cada dedo.

Emites un débil sonido de placer y aprobación y te relajas aún más, te tumbas otra vez contra las almohadas y él repite todo el movimiento. Después rodea la cama para ponerse al otro lado y empieza a trabajar en el otro brazo. Esta vez, en cuanto ha repetido la maniobra de recorrer el brazo y amasar la palma, te levanta la mano, se la lleva a los labios y te muerde los dedos con delicadeza, uno a uno, ejerciendo una ligerísima presión con los dientes y la lengua.

Tu jadeo es audible cuando la cálida sensación que te provocan las caricias de sus manos se amplifica con un inconfundible tirón en tu bajo vientre. Te retuerces muy levemente cobijada por la toalla y notas el calor que aflora a la superficie de tu piel.

JD no parece darse cuenta. Se pone más loción perfumada en las manos, se sitúa más abajo en la cama, desliza las manos por debajo de tu pantorrilla y te levanta un poco la pierna. No puedes evitar sentir un estallido de anticipación cuando te echa la pierna a un lado, abriéndote un poco, pero parece resuelto a darte un masaje en los pies y casi gimes cuando sus dedos largos y fuertes te presionan el arco del pie con pequeños movimientos circulares. A continuación, desliza las manos hacia arriba y te acaricia el sensible círculo de carne justo por debajo del hueso del tobillo.

—Qué gusto da eso —dices, rompiendo la magia del silencio que reina, interrumpido sólo por vuestra respiración.

—Según los reflexólogos, esta parte del pie se corresponde con, digamos, las partes femeninas —te informa JD en voz baja.

Al oír sus palabras, sientes unas palpitaciones inconfundibles en las susodichas partes femeninas, que se vuelven más insistentes cuando él centra su atención en tu otro pie. Una parte de ti quiere abandonarse mientras él frota, alivia y acaricia, y otra parte está tensa de expectación, preguntándose hacia dónde irán luego esos dedos hábiles.

Luego te desliza las dos manos por una pierna, te masajea la pantorrilla con firmeza y, a continuación, te acaricia la piel suave de detrás de las rodillas con una delicadeza exquisita. Sabes que ese gesto es una insolencia, pero aflojas las piernas y dejas que se separen un poco cuando él empuja el borde de la toalla hacia arriba y sus manos van subiendo por el muslo con una lentitud exasperante.

Te levanta toda la pierna, la flexiona y la vuelve a colocar doblada sobre la cama. La toalla se te cae del muslo y el pliegue de tela que ha quedado entre tus piernas es lo único que tapa tu coño caliente.

Su mano sigue moviéndose con lentitud, se desplaza por el interior de tu muslo y se detiene a una corta distancia de tu coño mientras sus pulgares trazan círculos perezosos y provocadores. Notas la humedad que desborda los labios de tu coño, la sensación melosa de voluptuosidad en tu pelvis, con sus dedos a tan sólo un par de centímetros de distancia, y te mueres de ganas de que los deslice hasta tocarte. Entonces, retira las manos, cambia de lado y empieza de nuevo con tu otra pierna.

No puedes evitar que se te escape un ruidito de frustración y él detiene las manos de inmediato.

—¿Quieres que pare?

—No, por Dios —gruñes, y te abandonas a la lenta tortura de sus manos que suben poco a poco por tu pierna, como una pluma por tu otro muslo, cada vez más cerca, casi rozándote el coño, hasta que vuelve a pararse de nuevo.

En esta ocasión, arqueas la espalda y levantas las caderas con frustración, y, al moverte, la toalla empieza a deslizarse y abrirse, dejando tus pechos al descubierto.

—¿Te gustaría que...? —JD se interrumpe.

—¡Oh, sí, por favor! —suplicas, abandonando toda cautela.

Esta vez no te provoca: te pone las manos cálidas y suaves directamente sobre los pechos. Aún los tienes un poco aceitosos por la crema, y él te masajea la carne con firmeza y suavidad, frotándote con movimientos circulares. Tus pezones se yerguen contra sus palmas calientes y él da un gruñido de satisfacción. Con los ojos entrecerrados, ves que traga saliva, y te estremeces al darte cuenta de que está tan excitado como tú.

Acto seguido, te desliza las manos por la espalda y con una de ellas te sujeta la cabeza y te besa por primera vez, al principio con vacilación, rozándote apenas con los labios, presionando con su lengua indecisa y luego retirándose.

Tú abres la boca para él, lo agarras de la cabeza y le enredas los dedos en el pelo, y ambos os coméis la lengua y los labios, y los suaves ruidos húmedos de las lenguas que se tocan son lo único que se oye en la habitación, aparte de vuestra respiración acelerada.

Sin dejar de sujetarte la cabeza con la mano, mueve su cuerpo largo y ágil para ponerse a tu lado en la cama y desliza la mano que tiene libre por tu pecho, pasando por entre tus tetas, recorriéndote lentamente la caja torácica y el estómago hasta detenerse para hundirte un dedo en el ombligo antes de llegar por fin a tu pubis.

—Por favor —repites, levantas la pelvis contra su mano y por fin te acaricia entre los labios húmedos e hinchados, abriéndolos, explorando y provocando. Su dedo índice empuja suavemente la abertura de tu coño y se hunde en ella, hasta que levantas las caderas y su dedo se desliza dentro y fuera de ti y ambos jadeáis con una mezcla de deseo y satisfacción.

Os besáis de nuevo y él imita con la lengua los movimientos lentos de su dedo dentro de ti, hasta que mueves un poco la cabeza y le atrapas el lóbulo de la oreja entre los dientes.

—Ya no puedo más —susurras; él mete la mano en el bolsillo de sus vaqueros, saca un condón y se separa de ti un momento para quitarse los pantalones. Tiene un culo magnífico, bien proporcionado y firme, pero sólo tienes unos segundos para admirarlo antes de que él se arrodille entre tus piernas. Su piel tatuada se estremece cuando coloca un brazo a cada lado de tus hombros.

Coge una almohada, te la pone debajo de las caderas alzándolas hacia él, y tú le rodeas la cintura con las piernas, ofreciendo así un blanco perfecto para su enorme erección. Te mete la punta de la polla entre los labios del coño, y, una vez más, ambos gemís mientras tú empujas contra él, que se desliza en tu interior y se hunde cada vez más dentro de ti. Le clavas los dedos en los fuertes músculos de la espalda con los pies apretados contra sus nalgas.

Su polla no sólo es larga y generosa, sino que además es gruesa, y sientes cómo te acoplas a él, aferrándolo de manera íntima mientras vuestros cuerpos se acomodan y se adaptan a la posición y uno al otro. Vuelve a besarte y luego coloca la barbilla en la curva que hay entre tu cuello y tu hombro y empieza a empujar, despacio al principio, y luego soltando un gruñido con cada embestida.

Hay algo en el ángulo de tus caderas, o quizá sea porque estás muy relajada, que hace que, cada vez que empuja dentro de ti, todas las terminaciones nerviosas de tu cuerpo vibren mientras él expande los muros blandos y profundos de tu interior. Sabes que te estás acercando a un inmenso orgasmo sin ningún esfuerzo, y que lo único que tienes que hacer es permanecer tendida y dejar que te recorra entera, una embestida más, una más, sólo una más, hasta que estallas de placer en brazos de JD. Arqueas la espalda con tanta fuerza que lo levantas contigo, tu coño se contrae y se relaja alrededor de su polla mientras tu pelvis irradia una oleada tras otra de un intenso placer que te recorre todo el cuerpo hasta llegar al cuero cabelludo. Tu orgasmo lo pone muy cachondo, y él también se corre dando un grito: se le tensan todos los músculos del cuerpo durante unos segundos y luego se desploma en tus brazos, se aparta un poco para no aplastarte y os quedáis entrelazados.

Transcurren unos largos minutos durante los cuales lo único que oyes es vuestra respiración agitada. Metes la cabeza en el hueco de su hombro y extiendes un dedo perezoso para acariciarle los tatuajes de los brazos. Los símbolos recuerdan a motivos celtas y, ahora que los ves más de cerca, aparece el dibujo de un dragón que ondula y se difumina.

Desconcertada, miras a JD a la cara, pero son los ojos de Bruno los que te devuelven la mirada. ¿Qué está pasando? Y ¿por qué se oyen redobles de tambor?

* * *

Parpadeas y, esta vez, cuando abres los ojos, estás sola en la cama, envuelta aún con la toalla y oliendo a franchipán o algo igual de exótico. El redoble de tambor son unos golpes en la puerta. Te has quedado dormida y estabas soñando, y durante mucho más tiempo del que tenías previsto, puesto que, a juzgar por la luz dorada que entra por la ventana, pronto atardecerá. Te levantas con las piernas aún maravillosamente flojas y perezosas y echas un vistazo por la mirilla.

Es Cee Cee.

—Necesito tu ayuda —dice, y entra dándote un empujón—. ¡Es una crisis total! Reservé el *spa* del hotel para esta noche, para las chicas, para mimarnos un poco, ya sabes. Pero han tenido un desafortunado incidente con la depilación a la cera y se ha cancelado. Y ¿qué hacemos ahora? El recepcionista dice que en un *pub* de por aquí organizan una noche de karaoke, pero podría resultar un poco cutre. Otra opción es quedarnos en el hotel y hacer una fiesta de pijamas sólo las chicas. ¿Tú qué opinas?

«Genial», piensas mientras te frotas los ojos con los puños intentando sacarte el sueño de encima. Entiendes por qué el apuesto JD apareció en el momento oportuno, pero ¿qué estaba haciendo Bruno en tu cabeza? Sin embargo, en la vida real, la fiesta sólo para chicas resolvería tu problema con Steve de momento. Como irá a la despedida de soltero, podrás retrasar la incómoda pero inevitable conversación de «no estoy interesada en ti», al menos por una noche. La cuestión es: ¿te apetece una noche de versiones malas y chupitos de tequila baratos o una noche con las chicas, tirando lencería cutre por ahí?

*Si lo que quieres es una noche de karaoke,
ve a la página 71*

 *Si prefieres una noche de chicas en el hotel,
ve a la página 81*

Has optado por la noche de karaoke

La noche de karaoke es tal como te la habías imaginado: un *pub* rural con un micrófono, un escenario improvisado y un *disc-jockey* que se está quedando calvo detrás de un cajón de madera contrachapada colocado en un rincón.

Conseguiste salir por patas del hotel sin quedarte ni un momento a solas con Steve. Cuando el grupo de hombres con camisetas amarillas salían para correrse su juerga particular, él intentó darte un beso en la boca, pero te las arreglaste para volverte y recibirlo en la mejilla. Bruno, que llevaba puesta la camiseta de «VENGA, HOMBRE, TÚ PUEDES» encima de una camisa negra de manga larga, te miró con un gesto indescifrable, y ni rastro de JD.

Pero ahora tienes que dejar de lado tus preocupaciones con Steve y hacer todo lo posible para que Jane disfrute de su última noche de soltera. A la pobre se la ve muy tensa, y está pidiendo cócteles y chupitos a tutiplén.

Te reúnes con ella en el bar, donde Lisa y Cat se están tomando su primera ronda de chupitos de tequila. Tía Lauren está apoyada en la barra charlando con el barman, que es tan joven que casi podría ser su nieto. A juzgar por la cara que pone el chico, da la sensación de que se lo ha ligado. Al menos hay una con suerte esta noche. Piensas con melancolía en JD y sus tatuajes intrigantes. No te importaría averiguar si la tinta se extiende también a otras partes de su cuerpo, pero ahora mismo no hay ninguna posibilidad. Es obvio que da por hecho que Steve y tú sois pareja.

Jane se toma un chupito de un trago, y luego otro. Tú haces lo mismo y sientes que el alcohol sacude tu organismo y fluye caliente por tus venas. Te quedas mirando a Cee Cee y Noe, que están cantando «I will survive» a voz en cuello. Lisa y Cat están sumidas en una conversación, muy pegadas la una a la otra.

—¿Crees que estoy haciendo lo correcto? —te pregunta Jane.

—No. El karaoke nunca es una buena idea.

—Quiero decir que… con todos los preparativos de la boda, no he tenido tiempo para pensar… si el matrimonio es lo que quiero de verdad.

¿Qué mosca le ha picado a ésta ahora? Tom te cae bien; es buena persona, un tipo decente, pero, para ser sinceras, te preocupa que pudiera ser un poco…, bueno, como diría Lisa, jodidamente aburrido.

—Pero si Tom y tú lleváis juntos desde la universidad…

—Ése es el problema, que no he estado con nadie más. No me malinterpretes. Tom es maravilloso. Lo que pasa es que… ¿Y si hay otra persona por ahí con la que se supone que tengo que estar?

Esta situación te supera un poco, pero te dices que es normal que la novia se ponga nerviosa antes de la boda. ¿O no?

El micrófono emite un chirrido y haces una mueca de dolor.

—Ésta es para la mujer especial de mi vida —anuncia con suavidad una voz de hombre. Oh, oh. Conoces esa voz.

Te das la vuelta poco a poco, sintiendo esa clase de horror que normalmente reservas para cuando te encuentras una araña en el cuarto de baño. Steve está en el escenario, micrófono en mano, a punto de empezar a cantar lo que se parece horriblemente a «Unchained melody». ¿Qué coño hace aquí? Debe de haberse escabullido de la despedida de soltero. Aun así, mientras su voz vibra con el primer «*da-ar-ar-ar-ling*», poniéndote los nervios de punta, una pequeña parcela de tu mente reconoce que posiblemente sea el único hombre del mundo al que le siente bien una camiseta amarilla.

Lisa te mira y te dice articulando para que le leas los labios: «¡Oh, Dios mío!»

—¿Ése no es Steve? —pregunta Jane. Tía Lauren está gritando delante del escenario; el joven barman ha pasado al olvido.

Sientes un impulso incontenible de huir de allí. Pero ¿cómo vas a abandonar a Jane en su fiesta? ¡Se supone que eres su mejor amiga!

Pero… ¿puedes soportar la vergüenza de que Steve te dé una serenata?

 Si decides quedarte y plantar cara a la situación, ve a la página 75

 Si sales huyendo, ve a la página 77

Has decidido quedarte y plantar cara a la situación

Puede que Jane esté borracha, pero se da cuenta del apuro en el que estás. Steve está intentando divisarte entre el gentío y no tardará en hacerlo. Probablemente te pedirá que subas al escenario con él, y ni por asomo estás tan borracha como para semejante experiencia.

—Vamos —dice Jane—. Salgamos de aquí. De todos modos, ya he tenido suficiente.

Os dirigís juntas al baño de señoras y luego os dais el piro al aparcamiento. Cee Cee ha contratado un coche para que os pase a recoger cuando cierre el *pub*, pero por lo menos falta una hora para eso. Por suerte, un taxi del pueblo más cercano está dejando a una pareja ebria, y Jane se dirige a él con paso tambaleante.

Subís al taxi y le pedís al conductor que os lleve al hotel.

—Estáis de suerte —comenta—. Estaba a punto de terminar la jornada.

Le preguntas a Jane si quiere hablar sobre sus miedos, pero te masculla algo de que ya hablaréis mañana. Se queda dormida en el taxi, apoyada en tu hombro, y cuando llegáis a la casa señorial, casi tienes que arrastrarla hasta su habitación. Cuando se despierte va a tener una tremenda resaca, de modo que la convences de que se tome una aspirina con un vaso de agua.

Te preparas una taza de té del paquete de cortesía que hay encima del minibar, te sientas a hacerle compañía hasta que se queda dormida y luego te vas a tu habitación.

Doblas la esquina y te paras en seco al ver una figura con camiseta amarilla que está llamando a tu puerta.

—¿Babe? ¿Babe? ¿Estás ahí?

La verdad es que ahora mismo no estás de humor para mantener una conversación delicada con Steve. ¿Qué puedes hacer?

 Si sales a tomar un poco el aire mientras esperas a que se vaya, ve a la página 83

 Si bajas a hurtadillas hasta el bar para tomarte una copa antes de irte a dormir, ve a la página 92

Has decidido salir huyendo

—¡Tengo que ir al baño! —gritas por encima de los aullidos.

Te escabulles y sales a la noche sintiéndote culpable por dejar tirada a tu amiga. Le mandas un mensaje rápido a Jane explicándole por qué has huido. Pero ¿ahora qué? Tienes que regresar al hotel. Intentas llamar a un taxi, pero estás en mitad de la nada, y cuando marcas el número del único servicio de taxis del pueblo más cercano, te salta directamente el contestador.

No te queda más remedio que ir andando. Mirándolo por el lado positivo, no es más que un kilómetro y medio de distancia, y te vendrá bien un poco de ejercicio y aire fresco después de todo el tequila que has bebido. Te quitas los tacones y caminas descalza por el borde del camino disfrutando al sentir la hierba fresca entre los dedos de los pies.

Es una noche cálida, pero las nubes envuelven la luna y no se ve ni torta. Esperas no acabar en una zanja.

Oyes el rugido de un motor y, al mirar por encima del hombro, ves el faro de una motocicleta que se aproxima.

Se para a tu lado derrapando. Sientes una punzada de temor (al fin y al cabo, vas andando sola por un camino rural desierto), y, por si acaso, tienes preparado uno de tus tacones de aguja.

El motorista se levanta la visera.

—¿Te llevo?

Es Mikey. El padrino de boda con peor fama del mundo.

—Se supone que deberías estar tomando unas copas con los chicos —le sueltas.

—Hemos acabado en un *pub* lleno de octogenarios borrachos. Me he escabullido —dice—. ¿Te llevo de vuelta al hotel? Estoy totalmente sobrio, palabra de honor.

Lo piensas durante un segundo, pero algo te dice que no te montes en la motocicleta.

—No, gracias —respondes—. Mi madre siempre me decía que no fuera en moto con desconocidos.

—¡Como quieras! —Esperas que te lo discuta, pero no lo hace. Se marcha haciendo rugir el motor y te deja sola. En cuestión de minutos, ya lamentas tu decisión. Te sobresaltas al oír un búho ulular. Las ramas de los árboles parecen señalarte con sus largos dedos oscuros. Una forma enorme y negra se mueve en un campo cercano. Te dices que sólo es una vaca, pero ahora sí que estás asustada de verdad. Un armiño (¿o es una rata gigante?) cruza el camino como una flecha por delante de ti.

Al traspasar una curva, ves el doble resplandor de los faros de un automóvil que se acerca. Un coche se detiene. Es el coche de época que Tom y Jane han alquilado para la boda, una especie de Rolls-Royce de lujo que debe de costar una fortuna.

La ventanilla del conductor desciende con un susurro.

—Sé que la moto no te hacía mucha gracia, pero ¿qué me dices de subir a un coche con un desconocido? —Es Mikey. Ha vuelto a por ti.

Subes al coche aliviada y te hundes en el cuero blanco del asiento del copiloto. El interior del vehículo es casi del mismo tamaño que tu dormitorio y por lo menos el doble de lujoso. El salpicadero de nogal reluce con la luz interior, y las alfombrillas de piel de borrego acarician tus pies desnudos.

—¿De dónde has sacado las llaves? —le preguntas.

—Si te lo digo, tendré que matarte.

—Pues preferiría eso a que me metieran en la cárcel por cómplice de robo de automóviles.

Al cabo de unos minutos, te deja delante de la puerta del hotel.

—Gracias por traerme —dices.

Él se vuelve a mirarte.

—Oye, ¿te apetece hacer algo divertido?

Afilas la mirada.

—Eso depende de lo que tú entiendas por divertido.

—Quédate y lo sabrás.

Si decides averiguar lo que Mikey tiene en mente,
ve a la página 96

 Si decides irte a la cama y sumirte en un sueño reparador,
ve a la página 95

Has decidido quedarte en el hotel para celebrar una fiesta de pijamas con las chicas

Comparado con lo que suelen ser las fiestas de pijamas, ésta no ha estado del todo mal. La tía Lauren apareció con varias botellas de Moët que logró sacarle al gerente del hotel y se ha pasado la noche contándote historias de su vida como fotógrafa en los acelerados años sesenta. También has descubierto que Cat, la novia de Bruno, no tan sólo es sumamente agradable, sino que ha cosechado varios logros. Tiene publicada una novela y ha dado la vuelta al mundo en barco, y además es capaz de contarte todo esto sin dejar de ser una persona modesta y divertida. El único misterio es qué hace con Bruno.

La velada está tocando a su fin. Las demás invitadas se marcharon hace horas; Lisa y Cat están sentadas a un lado de la cama, absortas en su conversación, y Cee Cee y Noe, las dos ciegas perdidas, están cantando una canción de Beyoncé. La tía Lauren ha salido al balcón a fumarse un porro.

Jane es la única que parece estar sensiblera.

—¿Qué te pasa? —le preguntas.

Ella se encoge de hombros de manera exagerada, está algo más que achispada.

—Creo que voy a comer un poco de... como se llame, ¿fiambre? —Suelta un hipo.

—¿Estás nerviosa? ¿Por casarte con Tom? —Esto

no es una buena idea. A ti te gusta Tom, ¿por qué no iba a gustarte? Tiene buen corazón, es equilibrado y es veterinario. Pero tienes que admitir que no es el hombre más fascinante del mundo.

—Sí. No. No lo sé. —Vuelve a hipar—. No me hagas caso. Estoy borracha. —Se pone de pie y se tambalea. Será mejor que la ayudes a llegar a la cama.

Les das las buenas noches a las demás y la llevas a su habitación.

—¿Quieres hablar un poco más sobre esto? —preguntas.

—Mañana —masculla, y se derrumba en la cama. La obligas a beberse un par de vasos de agua, la arropas y te diriges a tu habitación.

Doblas la esquina del pasillo y te quedas inmóvil. Una figura conocida con una camiseta amarilla está llamando a tu puerta.

—¿Babe? Tenemos que hablar. —¡Oh, no! Es Steve. No estás preparada para esto.

Y ¿qué haces ahora?

 Si sales a tomar un poco el aire mientras esperas a que se vaya, ve a la página 83

 Si bajas a hurtadillas hasta el bar para tomarte una copa antes de irte a dormir, ve a la página 92

Has salido a tomar un poco el aire mientras esperas a que Steve se vaya

Sintiéndote como una auténtica cobarde por no encararte a Steve y decirle que vuestro futuro juntos es un callejón sin salida, huyes pasando por la recepción y sales por las cristaleras que dan a los jardines del hotel.

Hace una noche preciosa, el aire es cálido y agradable. Las nubes se disipan y la luz de la luna riela en el lago. Bajas paseando hasta él, recorres la orilla y te detienes para meter los dedos en el agua. Estás casi tentada de quitarte la ropa y sumergirte, pero ¿qué tiene de divertido bañarte desnuda sola?

—¿Babe? —Te das la vuelta y en el porche del hotel ves una silueta que mira a su alrededor.

Mierda. Te metes corriendo en una cabaña cercana, una estructura elegante que contiene cajas con material de florista, decenas de sillas de listones apiladas y varias tumbonas de piscina. La casita tiene vistas al lago, es tranquila y está algo retirada; el lugar perfecto para esconderse un rato.

 Ve a la página 84

Te has refugiado en la cabaña

Oyes el ruido de unos pasos que se acercan y el sonido de unas voces que susurran. ¡Joder! ¿Será Steve que ha ido a buscar refuerzos? Echas un vistazo frenético a tu alrededor y te agachas detrás de una mampara de celosía que hay en un rincón de la cabaña.

Las tablas del suelo crujen, oyes el chisporroteo de una cerilla y percibes el olor a cera de vela. Miras a través de la celosía y ves dos figuras, un hombre y una mujer, que encienden varias de las velas de té que Cee Cee compró de más para la boda, «por si acaso». Cuando se hace la luz, reconoces a JD y a una camarera a la que has visto en el bar.

La situación es incómoda. Está claro que sus intenciones son románticas y no quieres espiarlos, pero ¿cómo vas a salir de ésta? Quizá si te quedas quieta se irán.

 Si decides quedarte escondida con la esperanza de que se marchen, ve a la página 85

 Si decides salir de allí de alguna manera, ve a la página 90

Decides quedarte escondida con la esperanza de que se marchen

Te agachas y cruzas los dedos con la esperanza de que se marchen. Pero tus esperanzas se ven frustradas por el sonido de unas respiraciones agitadas, unos suaves gemidos, besos y el susurro de la ropa cayendo al suelo. Acercas un ojo a la celosía. No los estás espiando, sólo quieres saber en qué fase están. Si aún están presentables, quizá podrías salir con alguna excusa. Podrías decirles que estás haciendo un estudio sobre los hábitos nocturnos de los cisnes, cualquier cosa que pudiera explicar por qué estás escondida en ese lugar en mitad de la noche.

Pero es demasiado tarde. Ya están los dos desnudos de cintura para arriba y tú no puedes apartar la mirada, aunque sabes que deberías hacerlo. Las velas proyectan unas sombras impresionantes, bañan su piel con una luz cálida, y los tatuajes de JD se mueven como si tuvieran vida propia. Él tiene un cuerpo firme y ágil, mientras que ella es voluptuosa, con una piel que parece casi tan suave como el terciopelo. Cuando sus cuerpos se juntan, el contraste entre sus texturas y formas distintas es asombroso.

Se han entrelazado y se besan de manera apasionada, emitiendo unos sonidos y murmullos suaves que quedan amplificados en el silencio de la noche. Estás sudando por lo embarazoso de la situación y, para ser sincera, también por algo más.

«Aparta la mirada, aparta la mirada», te dices a ti misma, pero sigues mirando mientras ellos se mueven como bailarines, se ayudan mutuamente a desprenderse de la ropa que aún llevan puesta y sólo se detienen para besarse o acariciarse. Ves que JD baja la cabeza hacia los pechos como manzanas de la camarera, ella se inclina hacia atrás y la luz parpadeante se refleja en el perfil de su garganta mientras que el pelo, antes peinado en un pulcro moño, le cae suelto por la espalda. Las manos fuertes de JD descienden hacia las curvas del trasero de la camarera, le envuelven las nalgas y los dedos quedan claramente definidos mientras masajean y se hunden en la piel exuberante.

A continuación, la coge en brazos y la lleva hasta una hamaca de piscina, la tiende en ella y se coloca encima a horcajadas. No sabes si sentirte excitada u horrorizada, pues vas a estar en primera fila para ver el próximo asalto. Las cosas ya han ido demasiado lejos para que ahora salgas al descubierto. Te guste o no, ya no tienes más remedio que presenciarlo, y, por mucho que detestes confesarlo, a una parte de ti le gusta mucho, la verdad.

Cuando vuelves a mirarlo, JD está descendiendo entre las piernas de la camarera y ambos gimen cuando la penetra. Nunca has presenciado sexo entre dos personas y resulta extrañamente hermoso, como si estuvieras viendo un antiguo rito pagano que, además, es increíblemente sensual.

JD empieza a moverse rítmicamente, al principio despacio, y con cada empujón su pareja lleva la cabeza hacia atrás y cierra y abre las manos en torno a sus hombros al tiempo que emite unos ruiditos entrecortados con voz ronca.

No hay forma de evitarlo, estás mirando de manera descarada a dos desconocidos echando un polvo y, lo que es peor, estás jadeando casi tanto como ellos. Te tocas el cuello húmedo, deslizas la mano hasta el pecho y notas el corazón que te palpita bajo la piel. Tienes el pezón duro como una piedra y la culpa no es sólo del aire nocturno.

No puedes contenerte y te metes la otra mano por debajo de la falda hasta que te tocas las bragas, que están empapadas. Te tiemblan los dedos con una mezcla de preocupación, deseo y la novedad de la experiencia. Estás haciendo algo prohibido, pero, cuando deslizas el dedo índice entre los labios cálidos y pegajosos de tu coño y sueltas un grito ahogado, sabes que no hay vuelta atrás.

Mientras tanto, la pareja ha cogido el ritmo. Contemplas hipnotizada las nalgas musculosas de JD que suben y bajan, cada vez con más rapidez y fuerza, y te imaginas que es a ti a quien está follando, que eres tú la que suelta gemidos interrumpidos mientras él te penetra una y otra vez. Te arde la piel y mueves los dedos en círculo alrededor de tu clítoris, pues estás tan excitada que no puedes tocarlo de lleno. Cuando JD se retira casi del todo y embiste de nuevo una vez más, dejas escapar un quejido audible. Temes delatarte, pero ya es demasiado tarde para parar.

En aquel preciso instante, JD se retira del todo y la camarera exclama: «Por favor, más…», pero su protesta queda interrumpida por un gemido de éxtasis cuando él desciende sobre ella y le pone la cabeza entre las piernas. Al ver su cabeza morena que se mueve rítmicamente entre los muslos de la mujer, estás que explotas y tu placer aumenta en oleadas intensas y frenéticas mientras haces girar las yemas de dos dedos en torno al clítoris.

La camarera empieza a correrse, va alzando la voz hasta que casi se convierte en un grito áspero y se convulsiona debajo de JD. Es un momento de pura energía primitiva. Él vuelve a situarse encima del cuerpo agitado de la mujer, vuelve a meterle la polla hasta el fondo, suelta un grito y se derrumba sobre ella, jadeando.

En ese mismo instante, tienes que meterte el puño en la boca porque tienes un orgasmo que te recorre el cuerpo con tanta intensidad que casi duele. Por suerte, tu grito amortiguado queda disimulado por los jadeos y murmullos de satisfacción de la pareja de la tumbona.

El corazón te palpita con furia y te tiemblan las piernas, pero si tienes que escapar es ahora o nunca. Sales corriendo hacia la libertad y corres encorvada. Te parece oír unos sonidos de sorpresa a tus espaldas, pero bajas la cabeza y sales pitando por los prados a toda velocidad. No puedes creer lo que acabas de ver y hacer, y te dices que deben de ser los efectos de la fiebre nupcial combinada con la luna llena.

Te detienes en la entrada para recuperar el aliento y atusarte el vestido. Con suerte, Steve ya se habrá ido a la cama hace rato. Ahora lo único que te apetece es refugiarte en tu habitación y quizás un minuto de tranquilidad para evocar la imagen de esos cuerpos espléndidos entrelazados a la luz de las velas. Y luego un sueño reparador para no tener ojeras en la cena de ensayo de mañana.

 Ve a la página 106

Decides que tienes que salir de allí

Tienes la esperanza de que JD y la camarera sólo vayan a tener un intercambio de opiniones libre y sincero sobre la situación económica, pero no estás de suerte. Tus planes para una huida rápida se desbaratan cuando él le quita la camisa por la cabeza. «¡Caray, no pierde el tiempo!», piensas corroída por los celos. Sientes un impulso prohibido. Si de verdad fueras atrevida, podrías salir de tu escondite, anunciar tu presencia y ofrecerte a unirte a ellos. Espera, ¿de dónde has sacado semejante idea? Estás un poco excitada y preocupada por tus malos pensamientos. Te mueves y, sin querer, le das un golpe con el pie a una de las sillas.

La pareja se queda inmóvil.

—¿Qué ha sido eso? —susurra la camarera cubriéndose los pechos.

—¿Hola? —grita JD.

¡Santo cielo, qué vergüenza si te pillan! Contienes la respiración.

—¿Lo ves? No es nada, sólo el viento —asegura él—. Bueno, ¿por dónde iba? —Y le desliza la mano por debajo de la falda.

La camarera gime de una forma muy dramática.

«¡Uf! Es de las gritonas», piensas. Definitivamente, ha llegado el momento de salir de aquí.

Esperas, y cuando la camarera tiene los ojos cerrados

y la boca abierta y JD está con la cabeza enterrada en su regazo, entonces sales de allí corriendo como una liebre. No podrás volver a mirarles a la cara a ninguno de los dos, pero ahora ésa es la última de tus preocupaciones. Lo único que quieres es volver a tu habitación. Y lavarte los ojos. A ser posible con desinfectante.

Con suerte, a estas alturas Steve ya habrá abandonado la búsqueda y habrá vuelto a su habitación. Después de las emociones del día, esperas sumirte en un sueño reparador para estar fresca en la cena de ensayo de mañana por la noche.

 Ve a la página 106

Has decidido bajar a hurtadillas hasta el bar para tomarte una copa antes de dormir

Cuando cruzas por el vestíbulo de entrada, ves a una pareja abrazada en las escaleras frente a la puerta principal. Reconoces a JD y a una de las camareras que estaba sirviendo champán en la reunión de antes. Desaparecen en la noche cogidos de la mano. Reprimes una punzada de pesar y entras en el bar, que está vacío salvo por el recepcionista, que parece estar cerrando ya, y un hombre que hay sentado en una mesa del rincón.

Es Mikey, el poco respetable padrino de Tom.

—¡Eh! —te llama—. ¿Te tomas una copa conmigo?

Vacilas. Aunque Mikey pueda tener la moral de Charlie Sheen, con él nunca te aburres. Te parece que has cubierto el cupo de alcohol por una noche, de modo que pides un zumo de naranja y te sientas con él.

—¿Cómo es que no estás en la despedida de soltero? —le preguntas.

Él se encoge de hombros.

—Terminamos en un *pub* lleno de ancianos granjeros, todos borrachos como una cuba. No es lo mío.

Oyes el débil sonido de la voz de Steve: «¡Ba-a-be!» Te metes debajo de la mesa sin dudarlo.

—Ya que estás ahí abajo… —sugiere Mikey.

—¡Shhhh! —Cuentas hasta veinte y luego sacas la cabeza por debajo de la mesa—. ¿No hay moros en la costa?

—No. Se ha ido. ¿Qué pasa? —inquiere Mike.

—No preguntes —contestas.

—Parece un buen tipo.

—¿En serio?

—Claro. Es muy cachondo.

No hay duda de que Mike es tan malo juzgando a la gente como teniendo relaciones adultas.

—Gracias por no descubrirme.

—Pues ¿qué tal si me haces un favor a cambio?

—¿Qué clase de favor? —le lanzas una mirada escéptica.

—Será divertido, te lo prometo.

Se levanta. Tú lo sigues fuera, curiosa, oyendo cómo la gravilla cruje bajo tus pies.

—¿Adónde vamos? —preguntas.

—Por aquí —dice, y se ríe. Se dirige al coche de bodas, un exquisito Rolls-Royce clásico plateado. Abre la puerta del acompañante y con un gesto te indica que entres.

Te detienes y él te brinda una de sus sonrisas perezosas. Es sexy, de eso no hay duda, salva vidas y escala rocas en su tiempo libre, de manera que tiene un físico esculpido, enjuto y fuerte. Pero sabes que esto no llevaría a ninguna parte, salvo tal vez a un rollo de una noche sumamente lamentable, y tú no eres de ésas.

¿O sí?

Si decides que es hora de irse a la cama... sola,
ve a la página 95

 Si decides averiguar lo que Mikey tiene en mente,
ve a la página 96

Has decidido irte a la cama

Recorres el pasillo con sigilo hacia tu habitación y rezas para que Steve se haya rendido por esta noche. De verdad que eres una cobarde. ¿Por qué no le dices que no estás interesada en lugar de andar a hurtadillas por ahí como una colegiala?

Pues no. Steve aún está rondando frente a la puerta de tu habitación. Te alejas otra vez de puntillas maldiciéndolo a él y a ti misma. Esta vez huyes a los jardines. La noche es preciosa, las nubes que había antes se han desvanecido y los prados son plateados bajo la luz de la luna.

Bajas paseando hasta el lago y te diriges a la cabaña que hay en la orilla. Hay unas sillas apiladas contra las paredes y una hamaca que mira hacia el agua. Te tumbas en ella para admirar la luna llena.

Paz, por fin.

 Ve a la página 84

Has decidido averiguar lo que Mikey tiene en mente

Mikey conduce el Rolls por el prado y lo aparca bajo un árbol junto al lago.

—¿Qué demonios estamos haciendo? —preguntas.

—Espera y verás.

Sale del coche, abre el maletero y saca varias cajas de lo que parecen ser botes de espuma de afeitar, latas vacías y ropa interior femenina.

Lo deja caer todo a tu lado y te pasa un bote de espuma de afeitar mientras él agita otro.

—¡Venga!

—¿Estás loco? Se supone que el coche nupcial sólo se puede destrozar el día de la boda.

—Pensé que podríamos hacer un ensayo.

—¿Es una excusa para cubrirme de espuma de afeitar? —preguntas.

—Podría ser. Me gusta la idea de llenarte de espuma. —Antes de que puedas reaccionar, Mikey te apunta con un bote y te rocía con él. Tú chillas y te agachas para armarte con otro bote que coges de la caja.

Cinco minutos después, estáis los dos jadeando como locos, riéndoos tontamente y cubiertos de espuma.

—Esto es ridículo —dices—. Tengo porquería de ésta por todas partes, hasta en el pelo. Y se supone que este fin de semana tengo que tener buen aspecto.

—No te preocupes —replica Mikey con despreocupación—. Ya sé cómo podemos lavarnos.

Te agarra de la mano y tira de ti hacia el lago. En un primer momento, clavas los tacones en el suelo, pero la noche es magnífica y un baño a medianoche podría ser justo lo que necesitas para despejarte.

Te quitas los zapatos y corréis los dos hacia el agua. Al principio, da impresión, pero luego resulta estimulante; el barro suave se te mete entre los dedos y os salpicáis el uno al otro. Te echas hacia atrás y chapoteas con los pies para levantar chorros de agua. Un ave acuática protesta desde algún lugar entre los juncos.

Incluso a la luz de la luna, te das cuenta de que Mikey no para de mirarte las tetas. La combinación de la espuma pegajosa y el agua fría ha provocado que la fina tela de tu vestido resulte del todo superflua: se percibe claramente hasta la más mínima rugosidad de tus pezones duros como piedras. Mikey se acerca flotando a ti.

—¿Hace frío o es que te alegras de verme? —pregunta, señalando tu pecho con un gesto.

Tú lo salpicas y te alejas chapoteando.

—¡Ni lo pienses! —respondes riendo.

Vadeas el agua hasta que haces pie y subes con cuidado por la pendiente cubierta de hierba en dirección al coche. La noche es cálida, pero tú estás chorreando, tienes la piel de gallina y el vestido pegado al cuerpo.

Te das la vuelta y ves que Mikey sale del agua y empieza a avanzar hacia ti. Bajo el resplandor plateado de la noche, parece una escultura clásica de un dios menor que hubiera cobrado vida. Por muy bueno que esté, Mikey no es tu tipo (no es el tipo de ninguna mujer con dos dedos de frente), pero aun así no puedes evitar quedarte mirando cómo se desabrocha poco a poco los botones de la camisa y se despoja de la tela mojada mostrando unos pectorales duros como una roca y tan claramente definidos que se podría tallar algo con ellos. Piensas que quizá sea el momento de darte una ducha fría, dado que el fresco chapoteo en el lago no parece haberte refrescado.

Mikey, que ahora sólo lleva unos vaqueros que parecen pintados en su piel, se reúne contigo junto al coche y rebusca en una caja.

—Aquí está —dice, y saca una botella que contiene un líquido ámbar—. Para que entres en calor.

—¿Qué es?

—Pruébalo.

Lo olfateas: el olor es letal.

—Tú primero —sugieres.

Mikey toma un trago y hace una mueca al engullirlo.

Tú das un sorbo. El líquido quema al bajar por la garganta.

—¿Qué es? ¿Aguardiente casero? —preguntas.

—*Mampoer*. Es de Sudáfrica. Lo traje de mi último viaje.

Tomas otro sorbo y sientes que el calor te llena el pecho. Sin duda, está funcionando.

Mikey enciende la radio.

—¿Quieres bailar?

Estás a punto de dar una excusa cuando empiezan los ritmos inconfundibles de un tango. Te encanta ese baile, es muy sexy y, de alguna manera, también está lleno de melancolía. Pero ¿no sería más sensato volver a tu habitación, quitarte el vestido mojado y dormir un poco?

 Si decides bailar con Mikey, ve a la página 100

 Si regresas a tu habitación para sumirte en un sueño reparador, ve a la página 239

Decides bailar con Mikey

—De acuerdo, está bien —respondes—. Pero si voy a bailar contigo necesitaré otro trago de ese aguardiente.

—¡Marchando! —Mikey te pasa la botella y le das un buen trago; notas la quemazón del líquido que corre por tus venas y te infunde valor.

—Bueno, vamos a ver si sabes lo que haces. —Te acercas a Mikey, colocas una mano en la suya y la otra sobre su hombro, y él te sorprende gratamente cuando adopta la posición correcta, te atrae hacia sí, desliza la mano hasta el lugar adecuado de tu espalda y amolda su cuerpo al tuyo.

Notas que se mece suavemente al ritmo de la música antes de dar un paso y hacer que lo sigas. Empezáis a moveros al compás de los violines lastimeros, camináis juntos y os sumergís en la conocida cadencia de deslizarse hacia delante, luego hacia atrás y luego a un lado y a otro.

Los dos estáis un poco oxidados, pero Mikey tiene un buen equilibrio y a ti te vuelven a la memoria las lecciones que tomaste con un maestro argentino en la universidad, y tu cuerpo recuerda las formas y los pasos del baile.

—¿Cómo diantre sabes hacer esto? —preguntas mientras Mikey te guía en el típico paso cruzado del tango.

—Mi madre era una gran aficionada al tango —explica—. Incluso lo enseñó en un momento dado. En general, como bailarín soy un asco, pero hay cosas que no se olvidan.

Te concentras durante un rato en cómo manda en el baile, preguntándote adónde te llevará a continuación, pero luego te relajas y te vuelves más atrevida, confías en que Mikey te sujete mientras giras las caderas y los hombros e incluso intentas hacer esas pataditas hacia atrás tan sexys.

Te bloquea el pie y tú respondes echándote hacia atrás.

—¡Bien! —exclama, y desliza una pierna entre las tuyas y te engancha con ella. Notas el calor de su cuerpo a través de la tela mojada de sus vaqueros, y cuando vuestros pechos se juntan es prácticamente como si fueras desnuda. Rompes el abrazo y te mueves hacia atrás, giras a un lado y a otro, tus pezones rozan su piel desnuda y ambos os estremecéis... Te dices que es por el fresco de la noche.

Habías olvidado lo sensual que es el tango, la forma en que los ritmos arrebatadores te llevan a dar pasos rápidos y audaces, interrumpidos por alguna vacilación momentánea. Recuerdas que una vez tu profesor te dijo que era como un cortejo.

Notas el aliento de Mikey que te hace cosquillas en la oreja y abandonas la prudencia. Cuando él da la señal, te doblas hacia atrás de forma temeraria hasta que tu pelo casi toca el suelo. Él te sujeta con una mano, te equilibra con las caderas y los muslos firmes, luego coloca los dedos planos sobre tu esternón y los desliza suavemente hasta debajo del ombligo. A continuación, vuelve a ponerte derecha, apretada contra su pecho, y el mareo te supera y te tambaleas, con lo que le obligas a dar un traspié.

Las manos de Mikey van bajando cada vez más, y luego su boca cálida se cierra sobre tu cuello. Esto no es una buena idea, la verdad, pero cuando te mordisquea suavemente, todo tu cuerpo se estremece.

Los violines siguen tocando su melodía agridulce e insistente, pero suenan lejanos, y las estrellas dan vueltas en el cielo.

—Oye, necesito animarme —dices—. ¿Dónde has metido esa botella?

* * *

—¿Mamá? —Una voz infantil te despierta con un sobresalto—. Le veo las partes a esa señora.

Abres los ojos y ves unas caras que te miran fijamente. Muchas, muchas caras. Casi todas ellas tienen expresiones escandalizadas o divertidas. Está la tía Lauren (divertida), Tom (escandalizado), el padre Declan (escandalizado y divertido), la madre de Jane (escandalizada) y el guapísimo JD (divertido). Lisa se tapa la boca con la mano y unas lágrimas de risa corren por sus mejillas. A los Domino se les ha puesto cara de tontos e intentan llevarse de allí a sus fascinadas hijas. Y también están Bruno y su novia que procuran contener la risa.

Alguien suelta un quejido a tu lado.

Te apoyas en los codos para incorporarte y sientes náuseas. Tienes la cabeza como si te la estuvieran taladrando, y los rayos de luz de la mañana te hieren los ojos como cuchillas de afeitar. Entonces te das cuenta.

Estás completamente desnuda, tendida en el césped del jardín frente al hotel. Enseguida te tapas los pechos con las manos. Estás rodeada de condones, con sus cuerpos de medusa esparcidos por ahí. Tus zapatos y tus bragas están arrimados a la botella vacía de *mampoer* y varias latas aplastadas de una sidra fortísima.

—Que alguien apague esos malditos pájaros —gruñe Mikey. Te vuelves a mirarlo. Él también está desnudo y alguien le ha escrito «VENGA, HOMBRE, TÚ PUEDES» en el estómago con lápiz de labios, con una flecha que señala su entrepierna. Reconoces ese tono de lápiz de labios: es tuyo. Parpadeas: ¿de verdad tiene un pene tan pequeño o la culpa es del aire frío de la mañana?

—Mi cabeza —gimotea otra voz. Miras más allá del cuerpo tendido de Mikey y ves al recepcionista. Lleva puesto tu vestido y una larga peluca rubia. ¿Qué demonios hiciste anoche?

Intentas atar cabos. Mikey y tú estabais bailando alrededor del coche nupcial, os ibais pasando la botella de aguardiente sudafricano, os reíais y lo pasabais genial.

Después de eso ya no recuerdas nada.

—Baaaabe. —No sabías que una sola sílaba pudiera llegar a contener tanto dolor y decepción. Es Steve, que menea la cabeza y se despoja galantemente de su camiseta amarilla (atrayendo una mirada lasciva de la tía Lauren), la sostiene con las puntas de los dedos y la lanza hacia ti. Te la pones. Es tan larga que cubre tu desnudez, pero nunca habrá nada lo bastante largo para poder cubrir tu vergüenza.

Un grito agudo con un dejo de histeria penetra en el dolor palpitante de tu cabeza como una sierra oxidada. El gentío se separa y ves a Cee Cee que chilla y señala hacia el lago.

¡Oh, mierda!

El maletero del coche nupcial sobresale del agua, la cabeza de ciervo disecada del bar cabecea a su lado con una diadema colgando de una de las astas.

—Debimos de quitar el freno de mano de un golpe en algún momento —dice Mikey—. ¡Uf! Me siento fatal.

—¿Qué habéis hecho? —exclama Jane entre dientes—. ¿Cómo habéis podido?

—Jane —titubeas—. Lo siento muchísimo…

—¡Habéis arruinado mi boda!

Steve sigue meneando la cabeza e incluso Lisa está seria.

—Jane, yo...

—Vete —te ordena Cee Cee con brusquedad.

Hasta los brillantes ojos de cristal del ciervo te miran con aire severo. Recoges tu ropa interior y los zapatos y corres hacia el hotel con la cara ardiendo de vergüenza. Tanto preocuparte por si Steve te avergonzaba y has conseguido hacerlo tú solita... Y además a lo grande.

Dadas las circunstancias, está claro que no puedes quedarte allí: correrías el riesgo de morir de vergüenza terminal. De modo que sólo puedes hacer una cosa: hacer la maleta y largarte. Tu deshonra es absoluta.

Es la noche de la cena de ensayo

Es la noche de la cena de ensayo, y, mientras te pones tu vestido rojo de cóctel favorito y un par de pendientes de azabache antiguos, reflexionas sobre lo raro que ha sido el día hasta ahora.

Estás segura de que, a estas alturas, Steve ya debe de haber captado el mensaje (al fin y al cabo, le diste una buena pista al trasladarte a una habitación para ti sola), y has estado armándote de valor para enfrentarte a la inevitable conversación de «lo nuestro se ha terminado», pero no has tenido ocasión de hablar con él en todo el día.

Nada más desayunar, Cee Cee te enganchó para que la ayudaras con los preparativos de la boda. Pasaste la mañana asegurándote de que el equipo de maquilladores y estilistas estuvieran a punto para mañana y ayudando a Cee Cee a contar velas de té y a doblar servilletas en forma de abanico. Mientras ella discutía con el florista, tú te ocupaste de recibir la entrega de los cestos de palomas que tiene previsto liberar después de la ceremonia (no sabes por qué, pero te has aguantado las ganas de ponerte en contacto con la Real Sociedad Protectora de las Aves). Cee Cee te tuvo tan ocupada que ni siquiera tuviste ocasión de hablar con Jane sobre sus dudas.

Los Domino entraron en la sala del banquete mientras Cee Cee y tú medíais los cubiertos de las mesas para aseguraros de que todos los servicios estuvieran exactamente a la misma distancia.

—Ese novio tuyo es una maravilla —te dijo Dom—. Ha organizado un partido de *cricket* para todos los niños. —Miraste por la ventana y viste a Steve lanzándole una pelota baja a Manhattan o París o Tokio mientras los demás pequeños jugaban alegremente a sus pies. Viste que Cat y Lisa se unían a ellos y que Steve decía algo que hizo que tu amiga estallara en carcajadas.

—Ha sido un regalo del cielo —comentó Noe—. Es la primera vez que tengo un respiro desde hace meses. Sinceramente, no sé qué hubiera hecho sin él.

Más tarde, cuando intentaste mediar en una pelea entre Cee Cee y el chef del hotel (por lo visto, el chocolate de los profiteroles no era del color adecuado), viste fugazmente a Mikey, Bruno y Steve sentados a una mesa de la sala de desayunos.

Mikey y Bruno se reían de algo que estaba diciendo Steve y luego los dos entrechocaron los puños con él. Entre los chillidos de Cee Cee y las maldiciones del chef, resultaba difícil oír qué ocurría exactamente, pero viste que Bruno le daba las gracias a Steve con efusión. ¡Qué cosa más rara!

* * *

Ahora compruebas tu maquillaje una última vez y te diriges a la sala donde se celebra la cena de ensayo. Por el camino te cruzas con JD. Te guiña el ojo y tú te ruborizas y lo saludas con un gesto de la mano. Al menos hubo alguien ayer por la noche que se lo pasó bien.

Jane parece tener una resaca horrible y Tom no tiene mucho mejor aspecto que ella. Te presentan al padre de Tom —un piloto que parece un héroe de acción— y ocupas tu asiento entre Bruno y Steve.

Steve te sonríe con tristeza. Está claro que ha captado el mensaje. Sientes una punzada de culpabilidad. Te has comportado fatal. Lo menos que podrías haber hecho era decirle algo a la cara en lugar de evitarlo. Pero están sirviendo el primer plato y ahora mismo no puedes llevártelo aparte. Según el menú, la diminuta torre de comida dispuesta en tu plato es suflé de endibia asada sobre espuma de salvia con palitos de calabacín. Viene adornado con más accesorios de los que se pondría un invitado normal para asistir a una boda.

—Steve —susurras en cuanto los camareros han terminado de servir el primer plato—. Hay una cosa que tengo que...

Te interrumpe el sonido de un cuchillo dando golpecitos contra una copa, y el padre Declan se pone de pie.

—Queridos amigos, estamos aquí reunidos para celebrar un acontecimiento en el que Jane y Tom serán felizmente unidos. —Hace una pausa y sonríe a la novia.

Se la ve bastante tensa, la verdad—. Pero, antes de empezar, me gustaría compartir una cosa con vosotros. Entre nuestros invitados hay una persona muy generosa. Una persona con un corazón de oro.

En un primer momento piensas que el padre Declan te está mirando directamente —aunque no puede ser que el hecho de ayudar a Cee Cee a doblar servilletas merezca esta clase de elogio—, pero después te das cuenta de que es a Steve a quien mira.

—Steve, aquí presente, se ha ofrecido a donar una cantidad considerable a una de mis organizaciones benéficas. —Por un segundo, el sacerdote parece preocupado—. Ha habido momentos en mi vida en los que conservar la fe ha supuesto una verdadera lucha, pero son las personas como Steve y su generosidad sin límites las que me la devuelven. ¡Por Steve!

Todos sonríen satisfechos y aplauden, y Mikey le da a Steve unas palmaditas en la espalda.

—También nos ha ayudado a Bruno y a mí con nuestros discursos —anuncia Mikey—. Te doy las gracias, amigo. No sé qué hubiéramos hecho sin ti.

—¡Sí, señor! —exclama Noe. Hasta Lisa está murmurando y asintiendo con aprobación.

¿Habrás entrado sin darte cuenta en alguna especie de universo paralelo?

Cee Cee se pone en pie.

—Gracias, padre Declan. Y gracias, Steve, por tus

sugerencias sobre la colocación de las flores. ¡Yo tampoco sé qué hubiera hecho sin ti! Y ahora he pensado que podríamos repasar el programa de mañana para que todos estemos coordinados. A las nueve y quince en punto se peinará y maquillará a los miembros del cortejo nupcial. A las nueve cincuenta, maquillaje y manicura de la novia. A las diez cuarenta y cinco, la gente tiene que dirigirse a la capilla...

Desconectas de lo que está diciendo. ¿Podrías estar equivocada con respecto a Steve? Todos lo ven como una especie de dios. Pero... ese espantoso gusto musical..., ¡y toda esa chorrada de la autoayuda!

—¡No puedo hacerlo! —El lamento de Jane interrumpe tus pensamientos y la cháchara de Cee Cee. Tu amiga se levanta de la silla de un salto y sale corriendo de la sala.

—¡Jane! —Casi se te rompe el corazón al ver la expresión de Tom cuando sale disparado tras ella. Te mueves para levantarte, pero Bruno murmura:

—Será mejor que dejemos que lo solucionen entre ellos.

Los demás invitados están todos atónitos. Tras una larga pausa, se produce una estampida general en dirección al bar. Cee Cee se pasea nerviosa de un lado a otro retorciéndose las manos mientras Noe revolotea a su alrededor.

Entonces te das cuenta de que a Steve no se lo ve por ninguna parte.

Vas a buscarlo. Sigues el murmullo de unas voces y al final los encuentras a los tres en el porche trasero, con vistas a una fuente que borbotea y a todavía más rosales. Tom y Jane están sentados en un banco con Steve. Te quedas allí escuchándolos durante unos segundos.

—Lo único que importa es que sois el mejor amigo el uno del otro —está diciendo Steve—. No necesitáis nada más en una relación. El resto es fachada.

Tanto Jane como Tom están llorando.

—Tenemos que hablar largo y tendido —dice Jane—. Gracias, Steve. —Le dirige una sonrisa triste, y luego Tom le pasa el brazo por los hombros y ambos se alejan en la oscuridad con las cabezas juntas.

Quieres apoyar a tu amiga, pero está claro que ella y Tom necesitan su espacio. Esperas que lo solucionen. Por la expresión que viste en el rostro de Tom cuando Jane salió corriendo entendiste todo lo que necesitabas saber sobre su relación. Él la ama y, con dudas o sin ellas, estás segura de que ella siente lo mismo.

Vas al encuentro de Steve en el porche.

—¿Te importa si me siento?

Él te mira y se pone derecho.

—Sé lo que vas a decir. No soy idiota. Sé que he sido demasiado lanzado.

Tú mascullas una disculpa por haber estado evitándolo.

—Hazme un favor —te pide—. Dime, ¿qué ha sido lo que te ha causado este rechazo? Al principio todo iba muy bien...

¿Por dónde empezar?

—Bueno, está eso de que me llames Babe.

Steve levanta las manos y lo reconoce.

—Tienes razón. Eso ha sido excesivo. Mi padre solía llamar así a mi madre (ambos murieron hace unos años), de modo que para mí no tiene la misma connotación cursi que para los demás. Supongo que me dejé llevar. Tenía la sensación de que tú y yo habíamos conectado, de verdad.

De acuerdo. Estás dispuesta a creértelo. Y ahora vas a por lo más grave.

—Y luego está toda esa historia del «¡VENGA, HOMBRE, TÚ PUEDES!»

Steve parece sorprendido.

—¿Qué pasa con eso?

—Bueno... Para serte sincera, eso sí que me ha causado cierto rechazo.

Se encoge de hombros.

—Supongo que todos somos distintos. Les enseñé mi DVD a Lisa, Bruno, Cat y el padre Declan y todos lo encontraron divertidísimo.

Un momento.

—¿Divertidísimo? ¿Tú querías que lo encontraran divertido?

—Claro. Y no creo que estuvieran fingiendo. Bruno se ha ofrecido a pasarlo en una de sus comedias.

Al fin caes en la cuenta.

—¿Quieres decir… que es una parodia?

Steve te mira como si estuvieras loca.

—¡Pues claro! Llevo una eternidad intentando meterme en comedia. Pensé que sabrías apreciarlo. Sobre todo después de que eligieras esa película de Will Ferrell en nuestra primera cita.

Ahora te sientes como una completa idiota.

—Creí que hacías *coaching* para grandes empresas o algo así —dices.

Steve se ríe.

—¡Por Dios, no! Soy cineasta y actor. Últimamente el trabajo ha estado un poco flojo, por eso he estado haciendo estos vídeos horribles para empresas y decidí cachondearme de ellos. Tengo la suerte de tener unos ingresos regulares por los derechos de un anuncio que hice hace un tiempo, pero no puedo pasarme el día sin hacer nada. Necesitaba un proyecto que pudiera acometer con ganas.

—¿Y lo de cantar en el coche y el horrible gusto musical? ¿Todo formaba parte de lo mismo?

Pone cara de desconcierto. Al menos en eso has dado en el clavo.

—Creo que es mejor que me vaya —decide—. Tengo la sensación de que soy un pesado ahora que está claro que nuestra historia ha terminado. —Se pone de pie.

—Steve…, espera —dices.

Él vacila.

¿Qué vas a decirle? ¿Puedes superar la barrera de sus gustos musicales y de que te llame Babe y darle otra oportunidad? Si es que quiere, claro. ¿O estás dispuesta a dejar que sea él quien se vaya?

 Si le pides a Steve que se quede, ve a la página 115

 Si decides dejar que se vaya, ve a la página 117

Le pides a Steve que se quede

—Steve... —empiezas—, he sido una verdadera idiota. De verdad que pensé que eras una especie de gurú estrambótico de la autoayuda. Con las camisetas y todo...

Él se ríe.

—Entiendo que pudiera ser motivo de cierto desencanto.

Respiras hondo. Lo último que quieres es dar la impresión de estar desesperada, pero ¿y si has cometido un terrible error? Que tú sepas, los únicos defectos que tiene de verdad son su pésimo gusto musical y en escoger un mote cariñoso, y ésas son cosas muy fáciles de arreglar. Y no hay duda de que sentiste algo por él durante el viaje de venida. Si hasta el escenario, con la fuente de la que el agua mana plácidamente bajo el fragante aire nocturno, es de lo más adecuado para un idilio. Seguro que es una señal de que Steve y tú deberíais volver a empezar.

—¿Hay alguna posibilidad de que pueda convencerte para que te quedes? Sería una pena que te marcharas ahora. A todos les daría mucha pena.

—¿A ti también? —te pregunta.

—Sí —respondes.

Steve se acerca a ti. Tú inclinas el rostro hacia él, cierras los ojos y esperas sentir sus labios sobre los tuyos.

No ocurre nada.

—No —dice—. Lo siento, pero esto no va a salir bien. Me parece increíble que pensaras que lo de «VENGA, HOMBRE, TÚ PUEDES» iba en serio. No puedo estar con alguien que no tiene sentido del humor.

Extiende la mano y estrecha enérgicamente la tuya, que responde con pasividad.

—Buena suerte, y espero que podamos seguir siendo amigos. Despídete de los demás por mí.

Te quedas estupefacta mirando a Steve y a su trasero perfecto alejándose a grandes zancadas. Te entran ganas de gritarle: «¡Pues claro que tengo sentido del humor, soy la leche de graciosa! Vuelve aquí y te demostraré que soy más divertida que… que…», pero te has quedado totalmente en blanco y estás paralizada.

¿Qué ha pasado aquí? ¿De verdad has conseguido ahuyentar al chico más majo que has conocido en meses? Te sientes incapaz de mirar a los demás a la cara y decides escabullirte para lamerte las heridas. Estás tentada de tirarte a la bebida hasta caer en coma, pero parece que Jane va a necesitarte mañana. Será mejor que mantengas la cabeza despejada.

 Ve a la página 130

Has decidido dejar que Steve se vaya

—Steve... —empiezas—, lamento que esto tenga que acabar así.

Él se encoge de hombros.

—Sabía que corría un riesgo viniendo aquí. Probablemente deberíamos habérnoslo tomado con más calma. ¿Seguimos siendo amigos?

—Seguimos siendo amigos. —Sonríes.

—Hagamos una cosa —dice—. Antes de que me marche de vuelta a la ciudad, ¿quieres ver mi DVD? Tenía muchas ganas de enseñártelo.

Te lo piensas. Jane y Tom están ocupados solucionando sus problemas —tú quieres estar allí para apoyar a tu amiga, pero es evidente que ahora mismo necesita su espacio—, y es mucho mejor la propuesta de Steve que volver a la cena de ensayo y tener que lidiar con Cee Cee, que sin duda estará histérica y tendrá un millón de preguntas sobre Tom y Jane.

—Claro que sí —respondes.

Lo sigues hasta su habitación sin que ninguno de los dos diga nada. Steve se hace a un lado para dejarte entrar primero y, cuando vuestros brazos se rozan, un escalofrío te recorre el cuerpo, pues la química que hubo al principio entre los dos crepita de nuevo en el aire. «Sólo somos buenos amigos», te dices. Lo último que necesitas ahora mismo son más complicaciones.

Steve pide un sándwich de tres pisos para cada uno al servicio de habitaciones, se sienta a tu lado en la cama —dejando un espacio de seguridad entre los dos— y pulsa el botón de *play* del reproductor de DVD.

* * *

Hacía siglos que no te reías así... Tienes agujetas de tanto reír. Steve ha conseguido parodiar la jerga de la autoayuda a la perfección, al estilo de Sacha Baron Cohen y sin cometer el error de recurrir a todos los chistes obvios. Tienes que reconocer que es tremendamente divertido.

—Ya veo por qué Bruno quiere esto en su programa —comentas—. Es fantástico.

—Gracias —responde Steve, que alarga la mano y te quita una mancha de mayonesa de la comisura de los labios. La tensión sexual y la excitación de lo que habéis dejado pendiente entre los dos son inconfundibles.

Cuando te quieres dar cuenta, ya te has acercado a su boca y lo estás besando. Él retrocede sorprendido, pero al cabo de un instante se aprieta contra ti, te rodea la cabeza con las manos y te devuelve el beso metiéndote la lengua en la boca hasta el fondo. Con tu enfado habías olvidado lo agradables que son sus besos. Cuando al fin se aparta, tú lo agarras de nuevo, desesperada porque quieres más, porque te lo quieres comer todo.

Estáis de rodillas sobre la cama, frente a frente. Mientras lo besas, le desabrochas la camisa y él te levanta el vestido, pero al llegar a la cabeza tiene que esperar a quitártelo porque tú no quieres dejar de besarlo ni un segundo siquiera. Cuando por fin te detienes para que pueda sacarte el vestido por la cabeza, tus manos buscan frenéticamente su cinturón. Se lo desabrochas, lo sacas de las presillas de un tirón y lo arrojas al otro lado de la habitación. Sigues con sus vaqueros y lo dejas en calzoncillos, unos bóxer que a duras penas contienen su enorme erección.

Steve te tiende sobre la cama, te coloca una almohada debajo de la cabeza y se pone a horcajadas sobre ti. A continuación, te recorre la mejilla con la nariz y baja por la oreja, haciendo que se te ericen todos los pelos del cuerpo. Desciende por el cuello y el pecho rozándote apenas con la nariz. Te pones a mil.

—Tócame —suplicas. Y, cuando te dice que no con la cabeza, su flequillo te acaricia la clavícula y te provoca de manera desesperante.

Te desabrocha el sujetador por delante, deja tus pechos al aire, y notas su aliento cálido en el pezón, pero sigue sin tocarte. En cambio, sigue recorriendo tu cuerpo con la punta de la nariz, las pestañas y el flequillo, y en ese instante piensas que si no te toca enseguida te vas a morir.

De modo que tiras de él hacia la cama, te das la vuelta y te sientas encima de él a horcajadas, sintiendo la presión de su polla dura como una piedra contra ti. Mueves las caderas en círculo, saboreando la presión de su miembro contra tu coño. Con una mano te agarra la cadera, con la otra el pecho y tú arqueas la espalda mientras te lo masajea y el pezón se te endurece al instante entre sus dedos.

Steve se detiene un instante para coger su neceser que está junto a la cama, saca un condón y otra cosa metida en un envoltorio de plástico. Deja el condón en la mesita de noche, se incorpora contigo a horcajadas sobre su regazo y abre la mano para enseñarte lo que tiene en ella.

—¿Qué es? —preguntas.

—Es un vibrador —aclara él mientras rasga el envoltorio para abrirlo. No se parece a ninguno de los que has visto hasta ahora. Es de color rosa, está hecho de silicona y le cabe perfectamente en la palma de la mano. Es un aro con una protuberancia en forma de bala en la parte superior. De hecho, parece un anillo que podrías llevar en el dedo, sólo que es más grande.

—Toma, tócalo —dice, y te lo pone en la palma. Luego presiona un lado de la bala y el artilugio cobra vida y vibra contra tu piel. Presiona por segunda vez, y la vibración se intensifica de manera que el juguetito empieza a dar botes en tu mano.

Si quieres probar el juguete, ve a la página 122

 Si prefieres no complicar las cosas, ve a la página 125

Quieres probar el juguete

No sabes qué va a hacer Steve con su juguete vibrador, pero te mueres de ganas de averiguarlo. Vuelve a presionar la bala y el vibrador se para. A continuación, te empuja de nuevo sobre la cama con suavidad, pone los brazos a ambos lados de tu cabeza y se agacha otra vez para besarte. Tú te rindes a su boca y pierdes la noción del tiempo. Luego coge el condón y lo saca del envoltorio. Le ayudas a deslizarlo por su polla erecta, lanzándole una mirada sexy.

Acto seguido, coge el juguetito, lo enciende otra vez y el sonido de la vibración te provoca un estremecimiento de curiosidad que te recorre la espalda y hace que tu coño palpite muerto de hambre. Steve se coloca el anillo de silicona dilatable en la punta de la polla y lo desliza hacia abajo por encima del condón asegurándose de que la bala vibradora quede en la parte superior de su pene.

Se pone de rodillas en la cama, te separa las piernas, notas que la punta de su polla caliente te presiona el coño y la leve sensación de los temblores de la base de su pene te excitan. Te recorre la raja de arriba abajo con la punta de la polla, sin penetrarte aún. Quiere volverte loca. Luego te chupa un pezón y lame el botón endurecido con su lengua caliente. Levantas las caderas con ansia de que se deslice en tu interior y te folle y, para tu alivio, lo hace.

Cuanto más te la mete, más intensas son las vibraciones del juguete, y cuando te penetra hasta el fondo, sientes por fin todo el efecto de la pequeña bala vibrando a toda velocidad contra tu clítoris. Te empuja una rodilla contra el pecho para poderte penetrar aún más. Luego sale de ti casi por completo, pero por suerte sólo durante un instante, antes de volver a embestirte de forma que la bala te frota el clítoris una vez más. El zumbido contra el clítoris y las paredes de tu coño sumen todo tu cuerpo en un delirio sin igual.

Reclinas la cabeza en el suave edredón y agarras a Steve por los hombros pidiéndole que te folle más duro y más rápido, mientras las vibraciones te recorren el coño. Sientes que el placer aumenta con cada embestida, crece hasta recorrerte en oleadas, y la presión es casi insoportable hasta que al fin te corres dando un grito tan fuerte que lo más probable es que se haya enterado todo el hotel.

Steve se tumba de espaldas a tu lado y, en cuanto te recuperas un poco, te pones a horcajadas sobre él y esta vez lo montas al estilo *cowboy*, pero de espaldas a él, de modo que puede volver a deslizar su polla dentro de ti sin esfuerzo. Y, como le das la espalda, la bala del vibrador ya no se concentra en tu clítoris, que está hinchado y sensible tras tu monstruoso orgasmo, sino que se centra en la pared trasera de tu coño y transmite unos voltios deliciosos a una parte de ti que no crees que nunca nadie haya estimulado de esta manera.

Te aferras a sus muslos y mueves las caderas en círculo al tiempo que empujas con fuerza contra cada una de sus embestidas, disfrutando del zumbido de la bala y de los golpes de su piel contra la tuya. No puedes creerlo, pero el placer te sube desde el coño hasta la boca mientras él te agarra el trasero y te lo masajea hasta que terminas corriéndote por segunda vez, con los ojos cerrados y los dedos de los pies encogidos, incapaz de decir cuál de los dos orgasmos ha sido más intenso.

Steve aumenta el ritmo, que se vuelve frenético, y pasa de las embestidas prolongadas y profundas a otras cortas y fuertes, gimiendo mientras tú empujas hacia atrás sobre su polla y contraes el coño y los músculos de los muslos en torno a él, sintiendo aún las vibraciones del juguetito a lo largo de todo su pene. Caes en la cuenta de que, al igual que tú sientes todas esas vibraciones dentro de tu coño, él también debe de sentirlas por toda su verga. Te aprieta las caderas y se corre con un gruñido y un par de sacudidas.

Te tiendes en la cama a su lado, jadeante y completamente agotada. Sientes un hormigueo de placer en cada centímetro de tu cuerpo. El zumbido cesa cuando Steve se saca el aro de la polla, lo apaga y lo deja caer en la cama. Entre sus besos, ese maravilloso juguetito rosa y su polla increíblemente dura, no hay duda de que ha sido el mejor sexo de tu vida.

 Ve a la página 128

Quieres follar con Steve sin el juguete

Pulsas con el dedo el aro vibrador que Steve tiene en la palma de la mano y luego le echas un brazo alrededor del cuello. Te da lo mismo el juguete, tú quieres más de esos besos increíbles. Cuando vuestras lenguas se encuentran, notas la dura presión de su erección palpitando contra tu pierna y le recorres la espalda con los dedos.

Cuando por fin logras coger aire, lo miras a los ojos y, al deslizar la mano por su entrepierna, notas lo dura que tiene la polla por debajo de la tela.

—¿Sabes qué? —te sale un gruñido—. No creo que vayamos a necesitar ayuda. —Agarras la bala vibradora y la dejas a un lado, metes el pulgar por el hueco de sus calzoncillos y le recorres la polla hasta la punta haciéndole gemir de placer.

Steve te empuja otra vez contra la cama y te quita las bragas con un solo movimiento hábil y suave. Luego le toca a él, y lo ayudas a quitarse la ropa interior, extasiada al descubrir su deliciosa polla larga, dura y palpitante.

Te agarras al edredón cuando él te recorre el coño con dos dedos hasta el clítoris, arriba y abajo, y notas cómo se te arquea la espalda sin poder contener unos gemidos de placer. Sueltas un grito ahogado cuando te envuelve el clítoris con la boca y te penetra con los dedos, abriéndose paso por tu coño. Tienes ganas de gritar cada vez que su lengua te golpea el clítoris. Y luego hace una cosa distinta con ella, algo que nunca habías experimentado, la retuerce dando vueltas al tiempo que sus dedos entran y salen de tu coño como si te taladraran, primero en una dirección y luego en otra, y el placer recorre todos los nervios de tu cuerpo.

Cuando ya no puedes soportarlo más, lo atraes hacia ti y rodáis sobre la cama besándoos con las piernas entrelazadas hasta que os caéis juntos por el borde. Por suerte, la enorme colcha que antes habéis tirado al suelo a patadas amortigua vuestra caída. Y volvéis a besaros en el suelo, riéndoos como locos mientras os dais el lote.

Le rodeas la polla dura y sabrosa con la mano y se la frotas arriba y abajo mientras sus dedos buscan tu clítoris y ambos movéis las manos al mismo tiempo.

—Fóllame ya —jadeas suplicando, pues temes correrte antes de que te la haya metido siquiera, y os reís de nuevo mientras él busca torpemente el condón que dejó en la mesita de noche.

Al final lo encuentra, rasga el envoltorio y desliza el preservativo sobre su polla con un movimiento suave. Te tumbas en el suelo sobre los blandos pliegues de la colcha sedosa mientras él se coloca entre tus piernas y te penetra despacio, haciéndote enloquecer de placer, y cierras los ojos. Se mece contra ti, y poco a poco va incrementando la velocidad hasta que acaba golpeando sus ingles y sus muslos contra tu cuerpo al ritmo de tus gemidos.

—Quiero correrme contigo —susurra, y tú levantas las caderas para ajustarte a sus embestidas, animándolo a que te folle más duro, más rápido, suplicando que te dé más, mientras ambos cabalgáis sobre la misma ola de extremo placer hasta que éste te desborda y os corréis a la vez, gritando juntos, hundiendo los dedos en la piel del otro y cerrando los ojos con fuerza en el momento de la explosión. Notas un sabor salado en la lengua y no sabes si es sudor o lágrimas, ni si es suyo o tuyo.

Steve se deja caer a tu lado, y tú te quedas tumbada junto a él con la respiración agitada y un agradable cosquilleo por todo el cuerpo. De lejos ha sido el mejor sexo que has tenido en tu vida.

 Ve a la página 128

Acabas de echar un polvo alucinante con Steve

—¿Estás pensando lo mismo que yo? —le preguntas a Steve cuando por fin recobras el sentido.

Él asiente.

—Sí. Lo siento, ha sido pésimo, ¿verdad? Supongo que me equivoqué. Está claro que no somos compatibles.

Estás perpleja. Debe de estar de broma.

—¿Lo dices en serio?

—Tú también debes de haberlo notado, ¿no? La falta de conexión. ¿En qué estábamos pensando? Esto no funcionaría.

—Sí..., también lo he notado... La falta de conexión... No funcionaría... —repites como un loro. Lo único que has notado es que te has corrido como una loca con dos orgasmos increíblemente buenos.

—Supongo que a veces las cosas no tienen que ser y ya está. —Sonríe con ironía—. Pero al menos el intento no ha estado mal, ¿verdad? —Te da unas castas palmaditas en el brazo. Luego mira el reloj—. Si me marcho ahora, puedo estar de vuelta en la ciudad antes de que se haga demasiado tarde.

Lo observas muda de asombro desde tu nido de ropa de cama, mientras él se viste y guarda los DVD en la maleta.

—Gracias por invitarme. Y, por favor, despídeme de todos. ¡Ah! Y dile al padre Declan que estaré en contacto con él por lo de la ayuda a esa escuela de Somalia. —Te da un beso en la cabeza con recato—. Es una lástima que las cosas no hayan salido bien entre nosotros —dice antes de cruzar la puerta y marcharse.

No te lo puedes creer. Has dejado que se te escurriera de las manos un dios del sexo divertido, inteligente y que está como un tren. Das golpecitos con los talones de desespero y te planteas si asaltar el minibar. Pero lo último que te hace falta mañana es tener resaca y los ojos hinchados.

Tu horrible vestido de dama de honor se burla de ti desde la percha del armario. Te preguntas si Jane y Tom habrán limado asperezas. Sea como sea, tu mejor amiga te va a necesitar, y presentarte hecha un desastre, sintiendo lástima de ti misma y con los lamentables estragos del vodka no va a ser de gran ayuda para nadie.

Un momento, parece que Steve no se lo ha llevado todo. Te fijas en el aro vibrador para la polla y lo coges para examinarlo más de cerca. Al menos te ha dejado algo de recuerdo. Y, si este fin de semana vas a estar soltera, ¡por lo menos serás una soltera con vibrador!

 Ve a la página 130

Es la mañana de la boda

Te bebes a sorbos el café de la mañana. La gente no deja de preguntarte dónde está Steve, y te entran ganas de estrangularlos a todos. Te has inventado la excusa de que ha tenido que tomar un avión para asistir a una conferencia urgente sobre comedia, pero, por supuesto, no se lo ha tragado nadie. Peor aún es ese vestido de mantel que acecha en tu habitación. Lo que menos te apetece es ponerte esa maldita cosa, pero vas a tener que comportarte como es debido y sacrificarte por el bien común.

Cee Cee entra muy nerviosa en la sala de desayunos con una aureola de rulos gigantes en la cabeza.

—¿Por qué no llevas puesto el vestido? —te pregunta a voces—. Y ¿dónde está Jane? Ya ha llegado la manicura. Espero que haya solucionado sus problemas.

Mascullas algo sobre que aún no has visto a Jane esta mañana, y dejas que Cee Cee te acompañe a la habitación en la que espera un equipo de maquilladoras y peluqueras blandiendo cepillitos de rímel y rizadores de pelo.

A la tía Lauren y a Noe ya les están rizando el pelo y acicalándolas.

La maquilladora revolotea a tu alrededor y te aplica una cantidad exagerada de base de maquillaje. Echas un vistazo al espejo. Genial. Pareces un miembro del reparto de *RuPaul's Drag Race**.

En fin, está claro que no estás de suerte. Steve se ha marchado, JD se ha enrollado con otra, y tendrías que estar loca para considerar siquiera a Mikey. Suspiras. Ha llegado el momento de embutirte en el vestido de dama de honor.

Se abre la puerta y entra Jane. Va vestida con unos vaqueros y una camiseta.

—¡Por fin! —exclama Cee Cee.

—Tengo algo que deciros a todos —anuncia Jane.

 Si Jane os dice que la boda sigue adelante, ve a la página 132

 Si Jane os dice que se suspende la boda, ve a la página 158

---

* *RuPaul's Drag Race* es un programa de televisión estadounidense en el que concursan *drag queens*.

La boda sigue adelante

Sientes una fuerte opresión en el pecho, pero no estás segura de si es porque el vestido infernal te aprieta o porque te has quedado sin habla. Jane, radiante de felicidad, está más hermosa de lo que podrías haber imaginado, y tienes ganas de llorar de emoción cuando toma de la mano a Tom frente al altar de la capilla.

Conseguiste hablar unos minutos a solas con ella después de que entrara en la sala de desayunos y anunciara que la boda seguía adelante según lo planeado, y te aseguró que estaba contenta con la decisión que había tomado.

—Tom es mi mejor amigo y yo soy su mejor amiga —dijo—. Steve tenía razón. Al final eso es lo único que importa.

Te alegras sinceramente por ella. Después de las emociones del fin de semana, comprendes el atractivo de pasar el resto de tu vida con alguien en quien confías y a quien conoces a la perfección.

El padre Declan se aclara la garganta.

—Si alguien conoce algún motivo por el que estas dos personas no deban unirse en santo matrimonio, que hable ahora o calle para siempre.

Un sonido rompe el silencio. El sonido de un desgarrón, como un pequeño estallido.

Espera… ¿Por qué de pronto tienes la sensación de tener las tetas al aire? Bajas la mirada y ves que el vestido de dama de honor se te ha rasgado desde el cuello hasta la cintura.

El silencio sepulcral se rompe por el grito horrorizado de Cee Cee. El padre Declan traga saliva. Tú haces lo que puedes para taparte con las manos, lo cual resulta un poco complicado, dado que estás haciendo malabarismos con tu ramo y el de Jane. Mikey aplaude en silencio. El padre de Tom sonríe de oreja a oreja y Lisa se carcajea sin cortarse un pelo.

Entonces, notas que te echan algo sobre los hombros. Bruno te coge los ramos para que puedas meter los brazos en su americana.

—Gracias —murmuras. Miras a Jane y le dices: «Lo siento», articulando sin hablar, y ella te responde de la misma manera: «Típico».

Bruno llama tu atención y te susurra:

—No te preocupes.

Le diriges una mirada de agradecimiento. ¿Quién hubiera pensado que tu antiguo enemigo sería el que acabaría echándote una mano?

El padre Declan, que ahora está rojo como un tomate, sigue adelante con la ceremonia, trabándose al hablar, y cuando declara que Tom y Jane son ahora marido y mujer, todo el mundo aplaude y vitorea. Un cuarteto de cuerda se pone a tocar, y tú te escabulles por el pasillo detrás de la feliz pareja intentando fingir que una americana de hombre encima de un canesú sin botones y una piel al desnudo es lo que llevan las mejores damas de honor esta temporada.

—Te lo has tomado muy a pecho, ¿eh? —comenta Lisa, que se ha acercado con sigilo a tu lado.

—Ja, ja. No es para nada lo que esperaba oír.

Te da un codazo suave.

—¡Anímate! Es una boda que nadie olvidará jamás.

—Sí. Seré *la del vestido*.

—La dama de honor que metió la *teta*, ja, ja.

Suspiras.

—Aunque nadie podrá decir que lo hice por *busto*.

Lisa pone los ojos en blanco y os echáis a reír como tontas. Mikey te lanza una mirada lasciva y Lisa le hace una peineta.

Cuando Jane y Tom salen de la capilla, Cee Cee y un par de empleados liberan a las palomas blancas de su largo sufrimiento dentro de los cestos. Pero ni siquiera el espectáculo de varias palomas cagándose en el moño de Cee Cee logra mitigar del todo tu humillación.

Jane lanza el ramo entre aclamaciones. Lisa lo atrapa, suelta un grito consternado y se lo arroja de inmediato a la tía Lauren, quien a su vez vuelve a tirarlo como si le quemara en las manos. Acaba cogiéndolo Cat, y te sorprendes al sentir una breve punzada de pesar.

Intentas ir pitando a tu habitación para cambiarte el vestido roto antes de dirigirte a la recepción, pero Cee Cee te para en seco.

—¡Ni se te ocurra cambiarte! —te ordena—. Desentonarás con las niñas de las flores y echarás a perder las fotografías. Sujeta el ramo delante para que no se te vea nada, y listos.

Te armas de paciencia para no decirle a Cee Cee que se meta el ramo por donde le quepa, pero lo que menos necesita Jane hoy es una pelea a gritos. Te avienes a llevar puesta la americana de Bruno hasta el último momento y no sabes cómo, pero consigues terminar la sesión de fotos sin pasar demasiada vergüenza.

Entras en la sala donde se celebra la recepción e intentas consolarte. El fin de semana de boda ya no puede ser peor.

Pues sí. Puede serlo. Los manteles y las servilletas hacen juego de verdad con tu vestido destrozado.

* * *

Se han terminado los discursos, te hundes en la silla y te bebes de un trago la tercera copa de champán. Te han sentado en la mesa de los niños gracias a una astuta confusión con las tarjetas con los nombres por parte de los Domino, los cuales se están emborrachando alegremente con Mikey y unos cuantos amigos de Tom.

El padre de Tom se pone de pie, te dirige una sonrisa esperanzadora y empieza a caminar zigzagueando hacia tu mesa. Esos rasgos duros que tiene lo hacen atractivo, pero esperas que no venga a intentar ligar contigo, porque con todo el desastre del vestido no estás de humor para charlas. Una de las hijas de los Domino (¿Manhattan? ¿Montreal? ¿Mogadiscio?) anuncia que tiene que ir a hacer pipí.

—¿Quieres que te acompañe? —le preguntas.

—No soy un bebé —replica la niña con altivez. Estupendo. Hasta los niños te tratan como si fueras idiota.

La tía Lauren aborda al padre de Tom por el camino y sueltas un suspiro de alivio.

La pequeña regresa corriendo a la mesa.

—¡Hay dos señoras besándose! —chilla—. ¡He visto a dos señoras besándose! Una tiene el pelo rosa.

Se te ponen los pelos de punta. Sólo puede referirse a Lisa.

—Oye, tú, Moscú o Maputo o como sea que te llames —le dices en tono brusco—, eso de inventarse historias está muy feo.

—¡Pero es que las he visto besándose! —exclama con una voz que suena como una sirena—. Y se apretaban el pecho la una contra la otra.

¡Oh, mierda! Sales disparada al pasillo justo a tiempo de ver salir a Cat y a Lisa de uno de los rincones.

—¡Lisa! —la llamas entre dientes.

Tu amiga se da la vuelta, te mira y sonríe radiante. Cat le murmura algo, te dirige una mirada impenetrable y se aleja con pachorra en dirección a las habitaciones.

—¿Qué estás haciendo? —preguntas.

—¿Qué te voy a contar? Por primera vez en la vida he conocido a alguien que es a la vez agradable y nada aburrido.

—Pero… Cat tiene novio. —Lisa puede ser muchas cosas, pero no es una traidora y nunca la has visto actuar a espaldas de nadie.

—¿Qué está pasando? —dice una voz infantil por detrás de ti—. ¿Tú también vas a besar a esa señora?

—Ya te lo explicaré más tarde —te dice Lisa sin el menor atisbo de culpabilidad. Y sale detrás de Cat a toda prisa.

Regresas con sigilo a la recepción y ayudas a los peques a cortar las pechugas de pollo *rellenas de albaricoque y setas silvestres* en trocitos muy pequeños, con la vana esperanza de que tal vez lleguen a comerse esa cosa. Pero esos niños hacen que, a su lado, los jueces de *Masterchef* parezcan ositos de peluche. Ya han declarado que la sopa de espárragos y trufa con aderezo de berros en tempura es «viscosa», y en el fondo estás de acuerdo. Hasta el miembro más educado del clan de los Domino —la rata *Yodabell*, cómodamente instalada en su jaula bajo la mesa— ha arrugado la nariz al olerla.

Te tocan en el hombro, y al levantar la mirada ves a Bruno.

—¿Has visto a Cat? —te pregunta.

Te arde la cara.

—Bueno. Veamos. ¿Si he visto a Cat? ¿Por qué? —Te haces la loca lo mejor que puedes.

—Se supone que tiene que decorar la *suite* nupcial, pero ha desaparecido. Cee Cee me ha enredado para que lo haga yo, pero la verdad es que no es lo mío. Me imagino que no te apetecerá ayudarme, ¿verdad?

Mmm. Sería una excusa para escapar de la recepción. Estás que muerdes, al próximo que haga un chiste de tetas o que te mire con lascivia le escupes en la cara, y además sería una manera de alejarte de la mesa de los niños. Pero, después de lo que acabas de presenciar, ¿no va a resultarte incómodo quedarte un rato a solas con Bruno?

—Vamos —dice—. Te prometo que estarás de vuelta a tiempo para el primer baile.

No puedes negarte, la verdad. Con cierto regocijo, les comentas a los Domino que ya no vas a hacerles de niñera gratis de su prole y te escabulles de la sala con Bruno.

Cee Cee ha dejado una cesta con pétalos de rosa y una botella de champán enfriándose en el pasillo frente a la puerta de la *suite* nupcial. Una parte de ti capta la magnificencia de la habitación —que cuenta con una cama con dosel en la que podría dormir una familia entera, una araña de cristal brillante y kilómetros de seda color perla adornándolo todo— mientras empiezas a esparcir los pétalos con muy poco entusiasmo.

—Oye, ¿qué te pasa? —pregunta Bruno—. Estamos en una boda, no en un funeral.

—No me pasa nada —mientes.

—Vamos, Mofeta. Algo te preocupa.

Maldita sea. Maldices a Lisa por ponerte en esta situación. Al fin y al cabo, Bruno te ha salvado el pellejo antes en la boda. Puede que en el pasado te quemara el pelo y os destrozarais mutuamente vuestras posesiones más preciadas, pero nadie se merece que lo engañen, ¿no?

¿Qué vas a hacer?

Si le cuentas a Bruno lo de Lisa y Cat,
ve a la página 140

Si decides guardártelo para ti,
ve a la página 153

Le cuentas a Bruno lo de Lisa y Cat

—Bruno…, no sé cómo decirte esto, pero… —¿Por qué porras es tan difícil ser sincero?

—Suéltalo ya, joder.

—Bueno… Se trata de Cat. Ella y Lisa… Mira, no es fácil decirlo, pero…

—¿Qué? ¿Intentas decirme que se han enrollado?

—¿Lo sabes?

—Claro.

—¡Pero si es tu novia!

—¡No, no lo es! —Se echa a reír—. ¿No te has dado cuenta de que Cat es lesbiana? Sólo somos muy buenos amigos.

—Oh.

—Si hubiera venido solo a la boda, mi madre no me hubiera dejado en paz: «¿Por qué sigues soltero? ¿Cuándo vas a conocer a una buena chica?» Ya sabes cómo es mi madre, en lo que concierne a las bodas y a los nietos es como un disco rayado. La quiero mucho, pero es insoportable. De modo que Cat ha tenido la amabilidad de acompañarme para evitarme problemas.

—Oh. —Parece que no puedes decir otra cosa.

—Por lo visto, mi madre no entiende que no quiero estar con cualquiera. Estoy esperando a que cierta persona por fin… lo entienda.

—¿Lo entienda? —susurras.

—Sí, esa chica a la que conozco desde hace muchísimo tiempo tiene que entender lo mucho que me gustaba cuando éramos niños. —Su voz es un poco ronca—. Lo mucho que aún me gusta. —Coge el clavel de la solapa de su americana, la que aún llevas puesta.

—A propósito, gracias... —dices dando un gritito mientras los pensamientos bullen en tu cabeza a la misma velocidad con la que ha te palpita el corazón—. Por ayudarme como lo has hecho durante la boda.

—Ha sido un placer. Pero... ha empezado a refrescar un poco. —Bruno coge las solapas de su americana y tira de ellas con suavidad para atraerte hacia él. Huele a loción para después del afeitado y tienes que reprimir el impulso de hundir la cara en su cuello. Notas el contorno de sus dedos que se aprietan contra tu pecho aferrados a las solapas.

—¿Ah, sí? —dices—. Es curioso, porque empiezo a tener bastante calor.

—Entonces no te importará devolverme la americana —replica él. Te desliza un dedo por debajo de la barbilla y sigue bajando lenta y tímidamente por el cuello hasta tu pecho, donde la V de la americana enmarca tu escote, y continúa bajando más, más, más, abriendo todos los botones de la americana sin esfuerzo. La suavidad de su dedo sobre tu piel te hace contener la respiración.

—¿Quieres que te la devuelva ahora mismo? —susurras.

Él te sostiene la mirada.

—Inmediatamente.

 Para ir un poco más allá con Bruno, ve a la página 143

 Para volver a la recepción, ve a la página 156

Vas un poco más allá con Bruno

Sientes un nudo en la garganta. De repente sois incapaces de miraros a los ojos. Es raro sentir vergüenza con alguien a quien conoces de toda la vida.

—Bruno.

—Quizás…

Habláis los dos al mismo tiempo. Él menea la cabeza.

—No, olvídalo. Mira, te veo en la recepción, ¿vale?

—¿No te olvidas de algo?

Cuando se da la vuelta, te quitas la americana de los hombros y te quedas ahí plantada enseñándole las tetas. Se te ponen duros los pezones mientras te mira, y ves que traga saliva.

Bruno avanza hacia ti, tú das medio paso adelante y os abrazáis, riendo y jadeando, y dejáis de reír cuando vuestros rostros se juntan, rozándose, y entonces, tímidamente porque no quieres romper el hechizo, tus labios tocan los suyos. Él abre la boca y vuestras lenguas se tocan, aún con vacilación, y la sensación no es extraña, sino que, para tu desconcierto, resulta buena, conocida y cálida. Luego os devoráis el uno al otro y él desliza las manos por tus hombros e intenta quitarte el dichoso vestido.

Te das media vuelta y te abre la cremallera valiéndose de la fuerza bruta. Es muy agradable librarse de la tela rígida, y aún más cuando Bruno se acerca a ti por detrás, te aparta el pelo del cuello y te lo besa, te lo mordisquea, desliza la boca por la curva de tu cuello y a lo largo de tu hombro, dándote mordisquitos y besos hasta llegar al brazo.

Te estremeces, en parte por el deseo y en parte por la anticipación, y, cuando repite el mismo proceso en el otro lado de tu cuello, notas su poderosa erección contra ti a través de la voluminosa falda del vestido. ¡Dios mío! ¿Quién iba a imaginarse que estaba tan bien dotado?

Te das la vuelta entre sus brazos.

—Quítame esta maldita cosa —suplicas. El vestido se resiste, aunque sois dos contra uno, y, cuando te lo quitas por los pies tambaleándote sobre tus tacones, pierdes el equilibrio y te caes de lado sobre la mullida alfombra aplastando los pétalos esparcidos. Bruno también se echa al suelo y os arrojáis el uno en brazos del otro. No llevas puestos más que las bragas y los tacones.

Os miráis a los ojos: sabes que estáis en un punto sin retorno. Bruno te pone una mano cálida y temblorosa en el vientre y luego desliza un dedo por debajo de la goma de tus bragas sin dejar de mirarte.

—Sí —susurras—. Sí, por favor. —Con las dos manos tiras de la diminuta prenda de algodón y encaje para liberarte de ella, y él te ayuda, la va enrollando hacia abajo hasta que te quedas desnuda.

—Ahora te toca a ti —dices, y atacas la camisa y la corbata. Maldices cuando empiezas con los botones, pero él va al grano y se quita la camisa por la cabeza. Zapatos, calcetines, pantalones y finalmente los calzoncillos salen despedidos hacia todos los rincones de la habitación hasta que su cuerpo desnudo, con sus distintas texturas y contornos, se aprieta contra el tuyo en toda su longitud.

Parece un poco cohibido cuando te apartas un poco para mirarlo, pero te gusta su torso ligeramente fornido, el vello del pecho, la solidez de sus caderas. Tiene la piel suave al tacto y una polla magnífica: oscura, gruesa e hinchada. Alargas la mano para tocarla, y él suelta un gruñido ahogado cuando la rodeas con los dedos y aprietas.

A continuación, te inclinas hacia delante y lames primero uno de sus pequeños y oscuros pezones, y luego el otro. Bruno murmura de placer y frustración, y, cuando lo muerdes con los dientes, arquea la espalda y su polla da un salto en tu mano.

—Ten cuidado, tigresa, o la función terminará antes de tiempo —dice jadeante. Te tiende de espaldas, te agarra los hombros con las manos, te sonríe y tú piensas: «¡Dios mío, es Bruno! Nada menos que Bruno, después de todos estos años», y entonces te besa otra vez, profundamente, mezclando su lengua con la tuya.

Desliza una mano por entre tus muslos y tú te abres

a él; suspiras al notar el primer roce de sus dedos contra los pliegues de tu coño y luego notas que te separa los labios.

—Estás muy mojada —murmura—. ¿Puedo mirar?

Te sonrojas, pero esta petición tan íntima provoca una nueva oleada de calor que te recorre la pelvis.

—De acuerdo —susurras, y abres las piernas para que él pueda arrodillarse entre ellas. Te empuja los muslos con suavidad y tú levantas las rodillas y te despliegas para él.

Por norma general, nunca te expones de esta manera la primera vez, pero con Bruno te sientes segura, con la tranquilidad que da la confianza, y a la vez con toda la sorpresa que provocan las chispas que estallan entre vosotros.

Notas que te extiende los labios del coño, los abre y pasa los dedos por la piel húmeda. Gimes cuando su lengua se desliza lentamente entre tus labios, presiona la abertura y luego sube despacio, enloquecedora, hacia tu clítoris, al tiempo que te mete un dedo en el coño, y al doblarlo un poco te hace arquear el cuerpo.

Te abandonas a la doble sensación de su lengua lamiéndote el clítoris y de sus dedos que te penetran, y te das cuenta con asombro de que estás a punto de correrte. Él también lo nota, porque se levanta para tumbarse a tu lado con la mano aún entre tus muslos.

Pero, antes de que te dé tiempo a lamentar la ausencia de su boca, él la reemplaza por el pulgar sobre tu clítoris y lo mueve en pequeños círculos mientras sus dedos siguen entrando y saliendo de tu coño empapado.

La doble sensación, el intenso placer que se propaga a la vez desde dentro y fuera de ti, te lleva al límite del placer sin que puedas evitarlo. Bruno te desliza un brazo por debajo del cuello justo a tiempo de sujetarte cuando el orgasmo te sacude todo el cuerpo y te convulsionas hasta que te sientes mareada. Te quedas con la sensación de estar flotando y te abandonas como si fueras una muñeca de trapo, satisfecha.

Al fin, abres los ojos y te encuentras con los de Bruno a un par de centímetros de distancia.

—Supongo que no fingías, ¿no? —Te sonríe.

—Si fuera un gato, ahora mismo estaría ronroneando. Oye, ¿y tú qué?

—No tengo condón, y no quiero estropearlo yendo a suplicarle uno a Mikey.

Te ríes tontamente.

—Sí, sería deprimente. Pero tengo una mano libre. —Alargas la mano hacia esa polla asombrosa por segunda vez—. Sé que es muy adolescente, pero ¿por qué no hacemos un sándwich? —sugieres. Le pasas la pierna por encima de la cadera y atrapas su erección entre vuestros cuerpos ardientes.

Justo en ese momento, se abre la puerta de golpe y oyes la voz inconfundible de Cee Cee:

—¿Por qué diantre tardas tanto?

Hay una pausa mientras asimila la visión de vosotros dos desnudos por el suelo.

—¡Oh, por amor de Dios! —grita, irrumpe en el dormitorio y agarra la cesta de pétalos medio vacía—. ¿Es que tengo que hacerlo todo yo sola?

* * *

Vais por el pasillo riéndoos y dando traspiés, más o menos vestidos, pero lidiando aún con botones y cremalleras.

—No había visto a Cee Cee tan enfadada desde que le pinté bigote a su Barbie Novia —comenta Bruno con la respiración agitada.

—¡Vaya con Cee Cee *interruptus*! —dices.

—Pues sí... Y ahora tengo un problemilla —admite Bruno—. A duras penas puedo caminar derecho.

—Detesto ser una aguafiestas, pero es la recepción de la boda de tu hermana. Y yo soy su dama de honor.

—Y yo detesto reconocerlo, pero tienes razón. Vamos con los demás..., pero con dos condiciones. Una, que bailes conmigo para que sepa que no lo he soñado. Y dos, que después nos dediquemos un baile privado para nosotros solos.

—Trato hecho —contestas, y le das un beso en los labios. Aunque, a decir verdad, como todas las mujeres adultas y sensatas, tienes un condón de emergencia guardado en tu habitación... y estás muy tentada de explorar su cuerpo un poco más. ¿Estaría muy feo si le propusieras a Bruno echar un polvo rápido? ¿O deberías volver a la recepción y esperar a más tarde?

 Si le propones a Bruno echar un polvo rápido, ve a la página 150

 Si vuelves a la recepción, ve a la página 156

Vas a echar un polvo rápido con Bruno

Cierras la puerta de la habitación empujándola con el pie, al tiempo que despojas a Bruno de la ropa por segunda vez esa tarde. Él es igual de rápido en quitarte la tuya, y en esta ocasión no hay ni rastro de timidez cuando contempláis mutuamente vuestros cuerpos desnudos.

Os volvéis a besar, vuestras lenguas se retuercen en la boca del otro mientras os reís jadeando. Bruno te hace avanzar de espaldas hasta la cama y te dejas caer en ella. Se inclina sobre ti y te besa como si no fuera a cansarse jamás, y tú le recorres la espalda con las manos y le aprietas los glúteos con descaro.

—¿Quién hubiese pensado que acabarías metiéndome mano? —Se ríe junto a tu oído, y tú lo castigas pellizcándole el trasero y mordisqueándole el hombro. Entonces te das la vuelta sobre él; te mueres de ganas de ver su polla impresionante más de cerca.

Te colocas a horcajadas encima de él, lo besas despacio y a conciencia una vez más y dices:

—Nos dirigimos al sur. Hay nuevos continentes que explorar. —Y te deslizas despacio bajando por su torso. Te tomas tu tiempo para colocarte bien, y luego soplas con suavidad por toda la longitud de su polla enorme mientras él gime con los músculos crispados.

Rematas el movimiento con un lametón gatuno de lo más delicado, rozando apenas con la lengua la agradable textura de la piel caliente de su pene. Al mismo tiempo, le metes la mano entre los muslos, le agarras los huevos y se los masajeas despacio y con suavidad. Luego, con calma, frunces los labios envolviéndole sólo la cabeza de la polla y pasas la lengua por la raja.

Bruno se retuerce de gusto y te agarra las tetas con las manos mientras tú te metes un par de centímetros más de su polla dura en la boca y se la chupas con más fuerza, moviendo levemente la cabeza de lado a lado para que pueda sentir la suavidad del interior de tus carrillos.

—¡Oh, Dios! —exclama con voz entrecortada—. Estoy a punto de correrme, frena un poco.

A regañadientes, dejas que su polla salga de tu boca, pero sigues apretándole los huevos con suavidad.

—Ha sido fantástico —murmura Bruno—. Eres fantástica. —Te soba las tetas con delicadeza y tú captas la indirecta y acomodas su erección entre ellas. La suavidad de la piel, con un tacto como de cachemira, resulta increíble, así como su calor palpitante. Bruno te junta las tetas capturando la polla entre ellas y empieza a dar unos suaves golpes de cadera. Tú coges el ritmo y empiezas a mover el torso disfrutando de la sensación de su polla deslizándose arriba y abajo en tu escote.

Bruno comienza a respirar de forma entrecortada y tú te retiras un poco, pero es demasiado tarde. Da un grito ahogado y se corre con una serie de espasmos que hacen que su semen salga disparado hacia tu cuello.

Te sientes como la Mujer Maravilla mientras le pasas pañuelos de papel de la caja que hay en la mesita de noche y te acurrucas a su lado.

—Creo que acabas de hacerme un cumplido —comentas mientras su respiración vuelve poco a poco a la normalidad.

—No te quepa duda —responde Bruno, que vuelve la cabeza y te roza la sien con la boca.

Le acaricias el pelo del pecho con gesto perezoso.

—Y tengo buenas noticias. Hay un condón de emergencia en mi neceser.

—¡Esto mejora por momentos! Pero quizá deberíamos reservarlo para después de la recepción. Entonces tendremos toda la noche para ese… baile lento que me prometiste.

—Hecho.

 Ve a la página 156

Te lo guardas para ti

—Vamos, suéltalo —dice Bruno—. ¿Tan malo es?

—Malo —contestas—. Muy muy malo —Te dejas caer sobre la cama y él se sienta a tu lado.

—De acuerdo. A ver qué te parece. Si te cuento un secreto, ¿me contarás qué es lo que te preocupa?

—No.

Se echa a reír.

—Pues yo voy a contártelo de todos modos. ¿Sabías que he estado enamorado de ti durante años?

Casi te caes de la cama del susto.

—¡Pero si me quemaste el pelo! Te pasaste un verano entero intentando llenarme de mierda de vaca.

—Parece mentira que no lo sepas. Es la manera en que demuestran afecto los niños de once años. Y luego me seguiste gustando mucho durante el instituto y la universidad, pero tú siempre salías con los tipos molones y yo sólo era el hermano gordo y patoso de tu mejor amiga.

Estás absolutamente desconcertada. Pero ¿y su novia? Que pronto será su exnovia si Lisa se sale con la suya.

—¿De verdad que no tenías ni idea? —te pregunta.

—Para serte sincera, la mierda de vaca no era lo mío —respondes.

—Y ¿qué es lo tuyo? —Su voz suena un poco ronca.

Alarga la mano para cogerte un mechón de pelo que se enrosca entre los dedos.

—¿Y Cat? —preguntas, repitiendo el mantra para tus adentros: «No le contaré lo de Cat y Lisa, no le contaré lo de Cat y Lisa…»

—¿Qué pasa con ella?

—¡Es tu novia!

Bruno se te queda mirando y rompe a reír.

—¿De dónde has sacado esa idea? Cat es mi mejor amiga, y resulta que es lesbiana. Se ofreció a venir para evitar que mi madre me volviera loco: «Bruno, ¿cuándo vas a conocer a una buena chica? Bruno, ¿por qué sigues soltero? Bruno, ¿cuándo vas a casarte y a darme nietos?» Me pone de los nervios. Y no puedo decirle que si estoy soltero quizá sea porque estoy tan loco que sólo pienso en alguien que todavía me ve como a un niño de once años plasta y pesado.

—Oh.

—Y, además, ¿no te has fijado en que a Cat le gusta mucho tu amiga Lisa? No se han despegado la una de la otra desde la primera vez que se vieron. Quiero decir que habría que estar ciego para no haberse dado cuenta.

Y tú lo estás, desde luego. Ciega. Mira cómo se te han cruzado los cables con Steve. Aunque, ahora que lo piensas, llevas todo el día sin acordarte de él. Y ahora esto…

Sonríes avergonzada.

—Éste es el secreto que me daba miedo contarte. Las vi juntas y no sabía qué hacer ni qué decir.

Bruno se pone de pie, sonríe y te tiende la mano.

—Vamos, ¿por qué no vas a quitarte este vestido antes de que alguien te ponga un jarrón y unos cubiertos encima? Y luego podemos volver a la fiesta. Quizás hasta te lo pienses y bailes conmigo.

Tú asientes y notas que se te acelera el pulso. ¿Desde cuándo Bruno es tan encantador?

 Ve a la página 156

Vuelves a la recepción

Decides dejar las distracciones para más tarde y te pones otro vestido con rapidez, un elegante modelito de color negro con un recatado escote alto, pero con una hermosa espalda abierta. Al retocarte el maquillaje a toda prisa, ves que tienes las mejillas coloradas.

Cuando vuelves a la recepción, Tom y Jane se balancean juntos en la pista de baile. Bruno te está esperando junto a la mesa nupcial y su expresión se ilumina al verte.

—¿Bailamos? —dice cuando empieza un tema lento. Asientes, y él te toma entre sus brazos.

La tía Lauren tiene a Mikey en sus garras, o al revés (en cualquier caso, los dos parecen no caber en sí de satisfacción), los Domino bailan lentamente con todo un lote de niñas pequeñas aferrados a sus piernas y Cee Cee agarra al padre de Tom con excesivo entusiasmo.

Jane se queda ojiplática al veros a ti y a Bruno bailar, y una enorme sonrisa se le dibuja en la cara.

—¡No me lo puedo creer! ¡Creía que vosotros dos nunca os llevaríais bien! —Tom la hace girar y ella se aleja dando vueltas, riéndose.

Bruno suelta una risita contra tu pelo.

—Supongo que esto significa que ya no volveré a llamarte Mofeta.

—Oh, no lo sé. Empiezo a tenerles bastante cariño a esas boñigas de vaca —dices. Los dos soltáis una risotada y chocáis la nariz.

—Puede que hasta considere pasar por alto el trato cruel y poco razonable que diste a mis muñecos Action Man.

—Bruno. Cállate y bésame.

FINAL

Jane te dice que se suspende la boda

—La boda se suspende —anuncia Jane.

Cee Cee pega un grito. Un grito de verdad. Hasta la inmutable tía Lauren parece desconcertada.

Rodeas a tu amiga con los brazos.

—¡Lo siento mucho! ¿Estás segura de que es esto lo que quieres?

Jane sonríe.

—Ven conmigo, venid todos.

Cee Cee está hiperventilando y le tienen que dar una bolsa de papel marrón para que respire dentro. Todos seguís a Jane afuera y veis que Tom está junto al coche nupcial, más relajado y contento de lo que lo has visto jamás. En la ventanilla trasera del vehículo están escritas las palabras «NO CASADOS» con espuma.

—Entonces, ¿vais a seguir juntos? —le preguntas.

Jane asiente, y el alivio que te invade te deja sin fuerzas.

Ni siquiera dos centímetros de maquillaje pueden ocultar la palidez enfermiza de Cee Cee, que al fin recupera el habla y dice:

—Pero... pero... ¡Con lo que he trabajado! ¡Las flores! Y el menú... ¡He pasado meses planificándolo todo! Las palomas... ¿Tienes idea de lo difícil que es conseguir palomas blancas durante la temporada de bodas ahora que los de PETA* están al acecho? Y... ¡todos los candeleros en forma de ángel que hice traer de Bali! ¿Cómo puedes hacerme esto?

Jane se mantiene firme.

—No quiero ofenderte, Cee Cee, agradezco de verdad todo lo que has hecho, pero este tipo de cosas... no son para mí. Y tampoco para Tom. —Jane hace una pausa—. Pero la luna de miel está pagada, de modo que pensamos que por qué no aprovecharla.

Cee Cee farfulla algo sobre velas de té con incrustaciones de oro y se deshace en lágrimas.

—Intenta comprenderlo, Cee Cee. Es lo que queremos de verdad —dice Jane. Le lanza besos a todo el mundo y sube alegremente al coche.

El resto de los invitados —la mayoría de los cuales llevan ya sus mejores galas y tocados— se reúne en el camino para decirles adiós. La madre de Jane solloza apoyada en el hombro de su marido.

Tom hace sonar el claxon y luego acelera levantando la grava del suelo.

En cuanto se pierden de vista, se produce un largo silencio. Y luego Mikey sugiere:

—Tenemos comida, bebida y música. Es una lástima dejar que todo se desperdicie, ¿no?

---

* People for the Ethical Treatment of Animals, organización por los derechos de los animales.

Cee Cee suelta un alarido y sale corriendo hacia el lago dando traspiés porque los tacones se le clavan en la hierba.

—¿Tú qué dices? —Mikey se vuelve a mirarte—. ¿Quieres que empecemos la fiesta?

 Si decides sumarte a Mikey y pasar la noche de fiesta, ve a la página 161

 Si decides ir a buscar a Cee Cee, ve a la página 169

Has decidido sumarte a Mikey
y pasar la noche de fiesta

Ay.

Abres los ojos despacio, percibes la luz del sol de la mañana que entra por la ventana y haces una mueca. Tienes la sensación de tener la cabeza llena de abejas y ahora mismo matarías por un vaso de agua.

Espera un momento... Esta habitación no te suena. Es mucho mayor que la tuya y, a juzgar por los jarrones con lirios y los pétalos de rosa esparcidos y aplastados en la alfombra, sólo puedes estar en un sitio: en la *suite* nupcial. Y estás en el lecho nupcial, al lado de una montaña de almohadas y edredones.

¿Qué estás haciendo aquí? Y lo que es más importante: ¿qué hiciste anoche? Recuerdas haberte tomado una copa con Mikey en el bar, donde se unieron a vosotros el padre Declan, Cee Cee, Bruno, Lisa y bastantes invitados más. Mikey sacó una botella de licor sudafricano que había traído de su último viaje y de la que todos tomasteis un trago o dos.

Recuerdas vagamente haber bailado al ritmo lento de «Careless Whisper» con Lisa y Cat y luego el cancán con un grupo de invitados, incluidos el padre Declan, Mikey, Bruno, la tía Lauren y JD.

No recuerdas nada más.

Te pasas las manos por el pelo, que está enredado y

huele a licor de albaricoque, se te engancha un mechón con algo y haces una mueca de dolor. Te acercas la mano izquierda a la cara y la miras con cautela con los ojos entrecerrados.

¡Oh, mierda!

Tienes una alianza de oro en el dedo anular. La alianza de Jane. ¿Por qué ahora tienes un recuerdo borroso de estar riéndote como una tonta y decir «sí, quiero»?

Te estremeces cuando oyes el sonido de la cisterna del cuarto de baño. Contienes el aliento y esperas a ver quién saldrá del baño.

 Si es Mikey, ve a la página 163

 Si es Bruno, ve a la página 166

Es Mikey

Se abre la puerta y Mikey sale a la habitación, desnudo salvo por lo que parecen ser unas bragas de mujer.

¡Oh, Dios! ¡Ay, no! Te has casado borracha con el peor de los mujeriegos del planeta. Un hombre que hace que a su lado Tiger Woods parezca un monje tibetano. Un hombre que lleva ropa interior femenina que, además, a juzgar por ese color rosa intenso, ni siquiera es tuya.

—Buenos días —dice, y se agita el pelo con la mano—. ¿Hay alguna posibilidad de que me pidas unos litros de café al servicio de habitaciones?

Te has quedado con la boca abierta.

—¿Mikey? —Una voz de mujer lo llama desde el baño. La tía Lauren sale zigzagueando vestida con una camiseta amarilla sin nada debajo.

—Buenos días, querida —te dice como si nada, estirándose y bostezando como si fuera la situación más normal del mundo. Ve la ropa interior de Mikey—. ¡Mira que eres malo! ¡Las estaba buscando!

Los miras a él y a ella, una y otra vez, sin dar crédito.

—Lo siento, ¿te hemos despertado? —pregunta ella—. Mikey y yo nos estábamos bañando juntos. Siempre he tenido debilidad por los jacusis. Me recuerdan a esa vez en que Mick, Brian, Marianne y yo nos refugiamos en el Chateau Marmont para pasar un fin de semana salvaje después de una gira de los Stones.

Levantas la mano y mueves el dedo anular.

—¿Alguno de los dos puede explicarme esto?

—Te empeñaste en cuidar de él —responde la tía Lauren—. Lo tenía Mikey y estaba amenazando con ponerlo en el bote cuando jugábamos al *strip* póquer. No parabas de reírte como una tonta y de decirnos a todos «no quiero».

—¿Que yo jugué al *strip* póquer?

—Y eso no es lo único que hiciste, cielo —dice la tía Lauren. Se vuelve a mirar a Mikey—. ¿Listo para el tercer asalto? El agua está caliente y estupenda. —Te guiña el ojo y vuelve a meterse en el baño contoneándose.

Mikey parece avergonzado.

—Creo que he encontrado la horma de mi zapato. —Hace ademán de seguirla, pero se da la vuelta—. Hazme un favor. La cabeza me está matando. Intenta no hacer mucho ruido.

—¿Yo? —preguntas.

Él asiente.

—Anoche armasteis un jaleo de mil demonios vosotros dos.

—¿Dos? ¿Qué quieres decir con «vosotros dos»?

El montón de ropa de cama que tienes al lado se mueve.

Con el corazón en un puño, retiras las mantas y miras al hombre que estaba durmiendo a tu lado. Un hombre de pelo negro y revuelto. Se estira y bosteza mirándote.

Es Bruno.

Empiezas a recordarlo todo. Después de la partida de póquer, Lisa y Cat se marcharon juntas y os dejaron solos a ti y a Bruno. Él te explicó que Cat y él sólo son amigos y sugirió que sería una pena desperdiciar el champán de la *suite* nupcial. Y luego...

Bruno te sonríe con picardía y te pasa el brazo por la cintura.

—¿Lista para el quinto asalto? —pregunta.

Es Bruno

Bruno sale del cuarto de baño envuelto en una toalla sujeta a la cintura.

Ay, Dios, ¿qué has hecho?

—Buenos días —dice, y te sonríe con picardía.

Tú tragas saliva.

—Mmm... Bruno, ¿anoche... nosotros...?

—¿Nosotros qué?

Parece que vas a tener que deletreárselo.

De pronto se abre la puerta y entra Lisa.

—¡Sorpresa! —Lleva una bandeja con zumo de naranja, tostadas y huevos—. Pensé que os vendría bien desayunar un poco. Anoche estabais los dos agotados.

Deja la bandeja sobre la mesa que hay en el balcón.

—Lisa —dices—, tengo la sensación de que he hecho algo muy...

Se te cae el alma a los pies cuando Cat entra en la habitación con una cafetera en las manos. ¿Qué diantre está pasando?

—Cat, puedo explicártelo... —titubeas al tiempo que señalas a Bruno con su toalla. ¿Explicar qué, exactamente? ¿Que podría ser que te hubieras casado con su novio?

—Pero si estás aquí, preciosa —dice Lisa. Toma la cafetera de manos de Cat, le echa los brazos al cuello y la besa lánguidamente—. ¿Quieres venir a nadar?

Miras a Bruno. No parece en absoluto indignado al ver a su novia besando a Lisa.

—Pero... ¿tú y Cat no estáis juntos? —le preguntas.

Lisa suelta un resoplido.

—¡Dios mío! Anoche estabas ida de verdad, ¿eh? Cat y Bruno sólo son buenos amigos.

—Oh —dices, y te preguntas qué más podrías haber pasado por alto... y qué más pasó anoche.

Cat y Lisa se marchan juntas, riéndose.

Estás desnuda y te envuelves con una sábana. Bruno se está sentando a la mesa del balcón y te acercas a él haciendo una mueca cuando la luz del sol te da en los ojos.

—Y ¿cómo llegamos aquí? —preguntas.

Él te da un vaso de zumo de naranja y te unta una tostada con mantequilla como si fuerais una pareja que llevara años casada.

—¿Qué es lo último que recuerdas?

—Pues... unos cuantos de nosotros bailando. —Tomas un sorbo de zumo. Te sabe a néctar cuando te baja por la garganta reseca—. Bruno, ¿anoche nosotros...?

Él menea la cabeza y sonríe.

—No. Anoche estabas un poco perjudicada. Todos lo estábamos. Después de decir a todos los que estaban en la sala que los querías, me llevaste a dar un paseo diciendo que querías desquitarte.

Esto no parece muy prometedor.

—Continúa.

—Me llevaste a rastras hasta un campo, me diste un empujón y me tiraste encima de una boñiga de vaca. Después de eso necesitaba ducharme y, como ninguno de los dos éramos capaces de encontrar la llave de nuestras habitaciones, acabamos aquí. La puerta estaba abierta.

Entonces te acuerdas del anillo. Levantas la mano.

—Pero, espera... ¿Y esto?

—Ah, eso. Después del incidente con la boñiga, decidiste que todo quedaba olvidado entre tú y yo. Convenciste a Mikey para que te diera el anillo de Jane y te empeñaste en que el padre Declan nos casara.

—¿Eso hice?

—Eso hiciste.

—¿Por qué no me lo impediste?

—No te preocupes. No es legal. Sólo te seguimos la corriente.

Hundes la cabeza entre las manos y miras por entre los dedos.

—¿Y consumamos nuestro matrimonio ilegal?

Bruno da un bocado a una tostada con deleite.

—Todavía no. Pero tenemos hasta mediodía para dejar la habitación.

FINAL

Has decidido consolar a Cee Cee

Encuentras a Cee Cee acurrucada bajo un árbol sobre una mullida extensión de hierba junto al lago. Tiene la cara escondida entre los brazos y agita los hombros con sollozos silenciosos.

No sabes muy bien qué hacer. Nunca has visto a Cee Cee en este estado. Al igual que muchos maniáticos del control, ella es una persona que hace frente a los problemas, más dada a enjugar las lágrimas de los demás que a derramar las suyas.

—Vamos, Cee Cee —le dices—. No te lo tomes tan a pecho.

Ella contesta entre hipidos sin levantar la cabeza de entre los brazos:

—Yo sólo quería que mi hermana pequeña tuviera la boda más maravillosa del mundo.

—Ya lo sé, y has hecho un trabajo increíble, de verdad que sí. Pero creo que lo que pasa es que ahora Jane se está dando cuenta de lo que quiere en realidad, nada más.

—Lo sé, y me alegro mucho por ella. Creo que en parte estoy llorando por eso. Por eso y porque hace semanas que no duermo. ¡Esas jodidas palomas! Me he estresado yo más que Jane con esta boda. —Levanta la cabeza. Tiene los ojos llorosos, pero te fijas en que no se le ha corrido el maquillaje. Típico de Cee Cee: se ha puesto rímel resistente al agua, por supuesto.

—Vamos, no llores. —Te inclinas y le limpias una lágrima de la mejilla—. Vas a estropearte el maquillaje y tienes una cara muy bonita.

—¿Tú crees?

La miras bien. Prácticamente habéis crecido juntas, de modo que conoces de sobra sus rasgos, pero te das cuenta de que hasta ahora nunca la habías mirado como es debido. Nunca te habías fijado en la curva de sus pómulos ni en las arruguitas de expresión en torno a sus ojos.

—La verdad es que sí —contestas—. Creo que tienes unos ojos increíbles.

—¡Y también debes de pensar que soy una bruja horrible! Este fin de semana he sido un monstruo, mangoneando a todo el mundo.

—De acuerdo, como organizadora de bodas quizás has sido un poco ogro, pero ¿quién puede culparte? Tenías que ser un pelín mandona y exigente para organizar algo así.

Te sientas al lado de Cee Cee, la rodeas con los brazos y le acaricias el pelo. Ella posa suavemente la boca en tu mejilla y notas que sus lágrimas te mojan la cara. Es un abrazo platónico, más que nada, pero no puedes evitar sentir también un estremecimiento más profundo y ardiente.

Cee Cee se aparta de ti, cruzáis la mirada, y algo pasa entre las dos, como una comprensión profunda, o quizá sea deseo. Es toda esta locura de la boda que os hace actuar a las dos de manera impropia. Sabes que ella es hetero, y tú también lo eres, pero hay algo tan reconfortante en su tacto y tan irresistible en su vulnerabilidad que de repente sientes muchas ganas de aliviarle todo el sufrimiento.

De modo que le devuelves el beso, esta vez en la comisura de los labios, y no sabes si lo hace sin querer o a propósito, pero, cuando la besas, ella mueve la cara y acabáis dándoos un beso en la boca.

Tras unos instantes, vuestras lenguas empiezan a explorarse tímidamente a la vez, y tener su lengua en la boca te causa una dulce impresión. Es una sensación totalmente nueva para ti. Sus labios tienen una suavidad y una flexibilidad a la que no estás acostumbrada.

Le envuelves la lengua con la tuya, ambas vacilantes al principio, y caes en la cuenta de que para ella la experiencia debe de ser tan nueva como lo es para ti. Pero la sensación es tan agradable que te abandonas a ella, y Cee Cee también.

Acabas tendida sobre la hierba y ella hace lo mismo, y seguís besándoos, explorando las curvas del rostro, los labios y la boca de la otra. Cee Cee recorre la parte delantera de tu vestido con las manos y tú quieres que te toque más, pero la tela es como un muro almidonado entre las dos.

—¡Me estoy asfixiando con este vestido! —exclamas

con un jadeo, y te incorporas—. Lo siento, Cee Cee, sé que no lo estás pasando muy bien con esta boda, pero ¡estos vestidos son un desastre! ¡A ti aún te queda bien el tuyo, pero el mío es una monstruosidad!

Ves una expresión de sorpresa en su rostro, y durante un segundo temes que pueda romper a llorar otra vez, pero se echa a reír.

—Ésta no ha sido mi mejor boda —admite.

Os reís como tontas las dos y rodáis por la hierba mullida hasta que acabáis besándoos de nuevo. Te llevas la mano a la espalda y te bajas la cremallera del vestido para liberarte de esa camisa de fuerza de cretona. Ella también se baja la cremallera y os apresuráis a despojaros mutuamente de esos montones de tela. Al fin, os quedáis sólo con las bragas puestas.

—¿Y si nos ve alguien? —pregunta Cee Cee, que se aparta de ti.

—¡Prefiero que me vean así que con ese horror de cosa! —exclamas, y la atraes de nuevo hacia ti.

—Nunca he hecho nada parecido —dice ella con los ojos muy abiertos.

—Yo tampoco. —Dejas escapar un grito ahogado cuando Cee Cee alarga una mano vacilante hacia tu teta y la coge en la mano como sopesándola; se te endurece el pezón cuando te toca. Luego desliza la mano por tu cuerpo, y notas que sus dedos avanzan por tus bragas y a continuación se meten dentro y te acarician el pubis mientras te explora la boca con la lengua y tú le devuelves el beso con ternura.

Tú también deslizas tímidamente la mano por su cuerpo, que es tan suave y fino que tienes ganas de hundirte en él. Vas bajando y te sorprendes al encontrar encaje bajo tus dedos —hubieras dicho que Cee Cee era de las que usan prendas sencillas de algodón—, pero está claro que la has juzgado mal en muchos aspectos.

Notas su calor y su humedad en los dedos a través del encaje y vas en busca de su clítoris. Sabes que lo has encontrado por su gemido y también porque notas cómo el botón de placer palpita contra tus dedos.

Cee Cee imita tus movimientos, te encuentra el clítoris y te lo frota, y tú te estremeces de gozo. Luego le toca a ella explorar. Te desliza un dedo en el coño despacio y con vacilación. Tú la animas con un «sí» que pronuncias dentro de su boca y haces lo mismo que ella, deslizas el dedo en su interior suave y caliente. Ella suelta un gritito de placer cuando le hundes el dedo hasta el nudillo.

Jadeante, Cee Cee cierra la boca sobre tu cuello y tú recorres la suavidad de su espalda rozándola con las uñas, empapándote de la novedad y la excitación de todo lo que estás experimentando. Nunca has sentido unos besos tan suaves y húmedos sobre ti. Su cuerpo es tan parecido al tuyo que sabes exactamente cómo mover los dedos para hacer que se retuerza de placer.

A continuación, desliza otro dedo dentro de ti, y luego un tercero, y tú captas la indirecta y le haces lo mismo. Esperas que sienta aunque sea una décima parte del placer que sientes tú mientras corcoveas contra su mano y aprietas sus dedos con tu coño ardiendo. Y debe de sentirlo, porque al tiempo que la acaricias en el punto exacto se estremece y exclama: «¡Oh, Dios, oh, Dios!» Mientras ella se corre, te empiezan a temblar las piernas y tu coño se contrae sobre sus dedos con un orgasmo que alcanzaría un ocho con nueve en la escala de Richter.

Os tumbáis las dos sobre la hierba mirando el dosel de hojas moteadas del árbol. Tras una cómoda eternidad, os volvéis a miraros y le colocas un mechón de pelo por detrás de la oreja.

—¿Mejor? —preguntas.

—Bastante mejor, la verdad —responde Cee Cee—. ¿Qué estás pensando?

—Que lo que pasa en el campo se queda en el campo —sugieres.

—Exactamente lo mismo que pensaba yo. Supongo que será mejor que volvamos a lo que quede de la boda.

—Sí, mataría por un pedazo de tarta nupcial —dices mientras recoges tu vestido y te levantas para poder ponértelo.

—Estás de suerte —comenta Cee Cee, que te quita una hoja del pelo—. Resulta que conozco a la coordinadora de la boda.

Regresáis juntas a la casa solariega. Te sientes increíblemente relajada y hasta el vestido te resulta menos incómodo. Al llegar a la puerta del salón de actos, que parece un hervidero de gente y música, te fijas en que Cee Cee está tirando del canesú de su vestido, ves que los pechos le sobresalen por los bordes y que las mangas japonesas le cortan la circulación de los brazos. Reconocerías su desgracia en cualquier parte: lleva puesto tu vestido.

Vas sola a la boda

—A la primera ronda invito yo —dice Lisa.

—Tomaré un Martini, pero sin aceitunas, y que sea doble —decides, mientras piensas en el monstruoso vestido de dama de honor. Vas a necesitar beber todo lo que tu cuerpo sea capaz de aguantar para enfrentarte a la perspectiva de llevarlo en público.

—Me alegro mucho de que no hayas traído acompañante... y de que hayamos llegado una noche antes —comenta Lisa. Te convenció de que te tomaras otro día libre en el trabajo para poder hacer una noche sólo de chicas antes de todo el estrés de la boda. Apenas dejasteis el equipaje en la casa solariega donde se celebrará la ceremonia, te sacó a rastras hacia el taxi que había alquilado para que os llevara al bar de un hotel cercano.

—Sí, probablemente sea demasiado pronto para presentar a Steve a la familia de Jane y que encima me vea con ese vestido de dama de honor puesto, todo en el mismo fin de semana... Hubiera salido por patas, seguro.

—Creo que este fin de semana tendrías que pasártelo bien y ya está, volverte un poco loca. Luego, cuando regreses, si ese tal Steve resulta ser el hombre de tu vida, puedes sentar cabeza sabiendo que te has corrido una buena juerga. Lo que quiero decir es que ¡fíjate en este lugar!, está plagado de pollas. Es el paraíso de las solteras.

Echas un vistazo al bar. Se está llenando con rapidez.

—¿Por eso querías venir aquí en lugar de ir al bar de nuestro hotel?

—Sí. Aquí no nos conoce nadie. Podemos hacer lo que queramos.

—¿Qué te hace pensar que toda esta gente está soltera?

—Por favor, es un fin de semana largo y van a celebrarse un millón de bodas en un radio de cincuenta kilómetros. Este lugar está lleno de gente que quiere pasárselo bien y no acordarse de nada por la mañana. No sé qué tienen las bodas que hacen que la gente haga cosas que normalmente no haría. Creo que es por todo ese compromiso que pende sobre sus cabezas. Es igual que cuando la gente se inspira para cambiar su vida después de haber sufrido un terrible accidente, que les entra el pánico y quieren tener sexo inmoral.

—Me alegra mucho que relaciones el compromiso a largo plazo con los accidentes que ponen tu vida en peligro.

—No puedo evitarlo, me estoy recuperando de una ruptura sentimental —dice Lisa.

—Tú siempre te estás recuperando. Y, hablando del tema, no mires ahora, pero ¿conoces a esa mujer?

Lisa se gira ipso facto.

—¡Te he dicho que no miraras! —exclamas entre dientes.

—¿La pelirroja o la morena? —pregunta ella.

—La pelirroja. No deja de mirar hacia aquí.

Lisa la saluda con la mano.

—¿La conoces? —preguntas.

—No la había visto en mi vida. Pero tengo hasta mañana por la mañana para compensar semejante tragedia.

—No sé cómo lo haces. Yo nunca he tenido un rollo de una noche.

—¿Cómo dices? —Lisa parece horrorizada de verdad—. ¿Nunca?

Niegas con la cabeza.

—Pues no sabes lo que te pierdes. Hay algo increíblemente liberador en eso. No tienes que preocuparte por el día siguiente ni por el otro, ni por si le gustas o no, ni por si te volverá a llamar o no. Y el sexo suele ser asombroso.

—No es que no haya querido hacerlo, lo que pasa es que nunca me ha surgido la oportunidad.

—Bueno, pues si en un fin de semana como éste no puedes echar un polvo, deberías volver a casa, comprarte pantalones elásticos y tener cinco gatos. ¿Cuál de éstos te gusta?

Echas una mirada a tu alrededor. En un rincón hay un grupo escandaloso de hombres, pero no parecen muy adecuados: uno de ellos va disfrazado de sirvienta con cofia y lleva uno de esos grilletes con bola tan horteras sujeto al tobillo.

—¿Qué me dices de ése? —pregunta Lisa, y señala con la cabeza a un hombre que está solo en una mesa. Es mayor, y transmite esa confianza despreocupada de los que se sienten cómodos en su piel. Viste unos vaqueros oscuros y una camisa de lino. Lleva la cabeza completamente afeitada, pero de un modo intencionado y sexy, no es para nada la triste calvicie de un tío solterón. Y una ligera barba de tres días salpicada de gris le cubre la barbilla. No estás segura de si es por la calva o por sus rasgos duros, pero tiene un aire a Bruce Willis.

—Está bien —contestas, y te encoges de hombros.

—Pues porque yo soy del otro bando, que si no me lo tiraría —dice Lisa.

—Vale, está bueno y está solo, pero ¿cómo sabes que no es un asesino en serie o, lo que es peor, un abogado?

—¡No tienes que irte a vivir con él ni darle hijos! Joder, ni siquiera hace falta que tengas sexo con él, pero ¿qué hay de malo en decir «hola»? Tú mira y aprende —dice Lisa, y se levanta.

—Espera, pensaba que era una noche de chicas —observas agarrándola del brazo.

—La última vez que eché un vistazo, se parecía mucho a una chica —replica Lisa, señalando con la cabeza a la pelirroja.

—¡No, Lisa, vuelve aquí! ¡Te odio! —la llamas, pero ella ya ha cruzado medio bar. Te arde la cara cuando ves que entabla conversación con el tipo mayor. Él se vuelve a mirarte, mira otra vez a Lisa y se ríe en voz alta. Cuando se ríe, es aún más guapo. Tiene uno de esos hoyuelos sexys en la barbilla y se le forman unas arrugas profundas al sonreír. Resulta demasiado mortificante seguir mirando, de modo que apartas la mirada y te aferras al Martini.

Cuando al fin reúnes el valor necesario para mirar otra vez, él ya no está en su mesa y Lisa está charlando con la pelirroja. Te invade una mezcla de alivio y decepción. Tal vez está casado, o quizás es que simplemente no le gustas.

De repente vuelves a acordarte de tu horrible vestido de dama de honor. ¿En qué estaría pensando Jane? La única explicación es la histeria nupcial. Ya es mala suerte que lo primero que pierde cuando se pone nerviosa sea su sentido de la elegancia. Pero hay otra cosa que te inquieta. Tom. Su prometido. Te cae bien, es dulce y de trato fácil, pero no estás del todo segura de que sea el hombre adecuado para ella. Es un poco…, cómo decirlo, predecible.

—No estaba seguro de si bebías para olvidar o para recordar, pero espero que esto sirva. —El doble de Bruce Willis aparece a tu lado con un Martini en una mano (sin aceitunas) y un whisky en la otra. De cerca es aún más atractivo. Habías pensado que era más guapo cuando sonreía, pero ahora, teniéndolo delante con la mandíbula tensa, es su rostro serio lo que te gusta.

—Creo que bebo para olvidar —dices—. ¿Y tú?

—Un poco de las dos cosas. ¿Te importa si me siento contigo?

Asientes, y no estás segura de si quieres darle las gracias a Lisa o pegarle un puñetazo.

—¿Problemas con los hombres? —te pregunta.

—Algo así, pero nada que me pase a mí, afortunadamente. Tengo dudas sobre el prometido de mi mejor amiga.

—Pues es una suerte que no seas tú la que va a casarse con él.

Tiene razón.

—¿Qué te ha dicho mi amiga para convencerte de que vinieras? —preguntas.

—Ha dicho que sólo te quedaban veinticuatro horas de vida y que tu último deseo era charlar conmigo.

—¡La voy a matar! —Lanzas una mirada malvada hacia el otro lado, donde ahora Lisa está con la cabeza pegada a la de la pelirroja.

—Si vives lo suficiente.

—Bueno, y ¿por qué podríamos brindar, aparte de porque en realidad no voy a morirme en las próximas veinticuatro horas de nada que no sea de vergüenza?

—De hecho, hoy me ha llegado el divorcio —dice.

—Vaya. Enhorabuena, o mi más sentido pésame... Lo que te parezca más adecuado.

Brindáis y te sonríe.

—El matrimonio no es para los pusilánimes. Soy piloto, no paraba mucho por casa, y me dejó. Cuando me lo vi venir, ya era demasiado tarde para hacer nada. Es mucho más joven que yo, lo estoy asimilando, y ahí es donde entra el whisky.

—Bueno, eres un hombre atractivo, y eres piloto. Antes de que te des cuenta, ya estarás saliendo con alguien otra vez.

—No he salido con nadie desde hace veinte años. Quizás esté un poco oxidado. ¿Qué me he perdido?

—La verdad es que no mucho, sigue siendo igual de arcaico que entonces. Los tipos majos escasean, y los que quieres que te vuelvan a llamar rara vez lo hacen.

—¡Oh, venga! Una chica tan guapa como tú debe de tenerlos comiendo de su mano.

Por alguna razón, en lugar de disuadirte, su comentario cursi te provoca esa deliciosa sensación en la tripa, como un serpenteo nudoso. O podrían ser los efectos del segundo Martini.

—Pero ahora en serio —prosigue—, puede que tengas que darme un par de consejos para poder salir con alguien. Por ejemplo, ¿cómo sé si le gusto a una chica?

Tú lo observas con detenimiento.

—Bueno, tienes que prestar mucha atención para captar algunas de las señales más sutiles. Para empezar, puede que ella juguetee con su pelo —dices mientras juegas con un mechón entre tus dedos.

—Y si ella también me gusta, ¿cómo se lo hago saber?

—Prueba a tocarle el brazo durante la conversación, como quien no quiere la cosa. Y tienes una sonrisa muy sexy, por lo que sin duda deberías utilizarla.

Él te pone la mano en el brazo sin vacilar.

—Te aseguro que lo probaré.

—La práctica hace al maestro.

—¿Y si quiero llevar las cosas al siguiente nivel con alguien que me parece sexy de verdad? ¿Qué tendría que hacer?

—Podrías invitarla a cenar, seducirla con tu encanto y luego, si estás de suerte, tal vez pudieras conseguir que subiera a tu habitación... si resulta que os alojáis en el mismo hotel, por ejemplo. —No puedes creer que estas palabras acaben de salir de tu boca. ¿Qué te pasa?

Él hace girar el hielo en su vaso, te dirige otra sonrisa matadora a lo Bruce Willis y sugiere:

—Estoy hambriento. ¿Qué te parece si comemos algo?

Te da un vuelco el corazón. Está claro que es demasiado mayor para ti a largo plazo, pero está como un tren, es encantador y es piloto, así que ¿qué tal a corto plazo? Lisa está en lo cierto: es tu oportunidad para tener un rollo salvaje de una noche.

Y ¿por qué no? Sólo has salido una vez con Steve, no es que estés comprometida con él ni mucho menos. Y, después de esa desastrosa prueba del vestido, no solamente te vendrían bien una inyección de confianza y algo que te levantara el ánimo, sino también un poco de ejercicio cardiovascular.

Pues está decidido: vas a follarte a este tipo, tanto si quiere como si no.

Buscas a Lisa con la mirada, pero parece haber desaparecido. Te fijas en que tampoco hay ni rastro de la pelirroja. Le mandas un mensaje de texto: «NO ME ESPERES».

Lisa te responde: «TÚ TAMPOCO. A PROPÓSITO, PROCURA FOLLAR DE LO LINDO».

 Para ir a cenar con el piloto, ve a la página 185

 Para ir directa a la habitación de su hotel para tu primer polvo de una noche, ve a la página 195

Vas a cenar con el piloto

—Bueno, ¿te gusta la comida francesa? —te pregunta el piloto.

—Me entusiasma —contestas—. Excepto los caracoles. Pero no sabía que hubiera un restaurante francés en este pueblo.

—Y no lo hay. Pero en París tenemos donde elegir.

Ladeas la cabeza y te lo quedas mirando.

—No sé tú, pero yo hasta el sábado por la noche no tengo que volver, pues ese día voy a una cena familiar. De modo que podría traerte de vuelta para entonces, si es que te va bien.

—Espera. ¿Estás sugiriendo que vayamos a Francia?

—*Oui!*

—¿Sólo para cenar?

—Bueno, dado que hoy es una ocasión de gran trascendencia, que soy un piloto que tiene a su disposición un *jet* privado durante todo el fin de semana y que ésta es la primera cita que he tenido en veinte años, he pensado que podríamos hacer algo un poco más memorable que ir a The Slug and Lettuce o como sea que se llame el restaurante de aquí. ¿Qué dices?

—Pero digo yo que no podrás volar si has bebido, ¿no? —preguntas señalando con la cabeza el whisky que tiene en las manos.

—Me sería del todo imposible volar, tengo una invitada a quien atender. Pero resulta que mi copiloto está de guardia todo el fin de semana. Un momento, ¿y tu pasaporte?

—Lo tengo en el hotel. Nunca salgo de casa sin él. Tal vez fui agente secreto en otra vida, quién sabe.

—En ese caso, sólo depende de ti. ¿Qué te tienta más, una hamburguesa en el restaurante local o lo que sea menos caracoles en un restaurante de Alain Ducasse?

Un millón de pensamientos se te agolpan en la cabeza. Podrías estar de vuelta a tiempo para la boda, y la verdad es que sólo se vive una vez...

—¡Vamos! —exclamas.

—Estupendo. A propósito, me llamo Jack. —Te toca la mejilla y luego llama al barman para que le traiga la cuenta.

A París. En un *jet*. Con un piloto.

—¡Yipikayei, hijo de puta! —susurras entre dientes.

* * *

—Esto es una bañera y lo demás son tonterías —comentas desde la puerta del cuarto de baño inmaculado de la *suite*, mirando una bañera enorme y elegante que está suplicando champán, burbujas y un baño de una hora.

—¿Crees que cabremos los dos? —pregunta Jack por detrás de ti, y apoya la barbilla en tu hombro.

—Creo que sería un craso error no comprobarlo.

—Traeré el champán —dice mientras tú abres los grifos y tocas el agua para asegurarte de que esté a la temperatura adecuada, y notas que el corazón se te empieza a acelerar con anticipación. Enciendes las velas situadas de manera estratégica por el cuarto de baño, y viertes el contenido de un frasco de gel para hacer espuma en el agua mientras el vapor y el aroma inundan la habitación.

Jack y tú habéis llegado a París a tiempo de disfrutar de una espectacular cena tardía sin caracoles en Le Cinq, el restaurante con estrellas Michelin del hotel y, a pesar de los cinco platos y el vino gran reserva, no estás ni siquiera soñolienta. Miras por la ventana de guillotina que enmarca unas vistas panorámicas de la ciudad y de los Campos Elíseos, donde unas elegantes lamparitas adornan los árboles que bordean el bulevar.

Te resulta difícil creer que estás aquí. Te mueres de ganas de contarle tu aventura a Lisa, empezando por el vuelo en el Learjet... ¿Quién hubiera dicho que un avión tan relativamente pequeño podía ser tan lujoso? Tal vez mañana tengas tiempo de explorar las *boutiques* exclusivas del distrito y comprarle un regalo para agradecerle que te presentara a Jack. Se está convirtiendo en el mejor rollo de una noche del mundo... Supera incluso los sueños más descabellados de Lisa.

Jack regresa y te ofrece una copa de champán.

—Por París —dice.

Brindáis y bebéis los dos. Jack deja entonces la copa en el borde de la bañera, se acerca a ti, te rodea la cabeza con las manos y te besa con esa pasión que normalmente está reservada para las novelas clásicas y las películas en blanco y negro.

Tiras de su chaqueta para sacársela de los hombros y le desabrochas la camisa. Él te quita el vestido por la cabeza y los dos os descalzáis sin mediar palabra.

Por un momento, te sientes cohibida estando casi desnuda delante de él, por lo que te tapas el pecho con los brazos. Jack intuye tu timidez y se da la vuelta para atenuar la luz del baño, de modo que éste queda sumido en la caricia parpadeante de la luz de las velas. Mientras tanto, tú te quitas las bragas y te metes con cuidado en la bañera, te sumerges y notas que el agua aceitosa envuelve tu desnudez.

Te mueves hacia delante para cerrar los grifos, y Jack entra en la bañera por detrás de ti. Das un suspiro de satisfacción y te apoyas en él sentada entre sus piernas, disfrutando de la sensación de tener su pecho fuerte contra tu espalda.

Jack coge una esponja grande y suave y le echa jabón. A continuación, te la pasa lentamente por un brazo y luego por el otro, empezando por el hombro. Después vuelve a tu cuello, te pasa la esponja desde el cuello hasta la oreja y luego vuelve a bajar; se detiene para volver a enjabonarla antes de ir bajando hasta tu torso y frotarte primero un pecho y luego otro. El roce de la esponja se detiene un brevísimo instante antes de pasar por el pezón, que se te pone duro en cuanto él te lo cubre de espuma.

Jack hunde la mano en el agua caliente, y la esponja vuelve a deslizarse por tu vientre mientras él te acaricia el lóbulo de la oreja con la otra mano. Luego te pasa la esponja por el coño despacio, muy despacio, y entonces echas la cabeza hacia atrás, la apoyas en su hombro y cierras los ojos para abandonarte, y el placer aumenta a medida que su polla se pone tiesa. Notas su erección presionándote la base de la espalda allí donde vuestros cuerpos se unen, con tan sólo una película de agua caliente entre los dos.

Dejas escapar un leve gemido cuando Jack te vuelve a frotar con la esponja entre las piernas, y luego otra vez un poco más fuerte antes de volver a tu clavícula y empezar su viaje una vez más. Primero un brazo, luego otro y después otra vez las tetas, pero esta vez te pasa la mano por una de ellas y sus dedos juguetean con el pezón mientras te acaricia la otra con la esponja.

Te besa el cuello y vuelve a hundir la esponja en el agua, mientras su otra mano sigue entretenida con tu pezón, y notas la esponja otra vez entre las piernas. Recorre los labios de tu sexo arriba y abajo, aumentando la presión con cada pasada. Inclinas la pelvis hacia la esponja intentando aumentar la presión contra tu clítoris y le mordisqueas el cuello y el lóbulo de la oreja, animándolo a seguir con pequeños gemidos y la respiración cada vez más agitada.

Sueltas un chillido al notar una corriente de agua contra tu piel cuando de pronto cobran vida aproximadamente una docena de chorros de hidromasaje colocados de manera estratégica. Uno de ellos está inclinado de tal forma que la fuerte corriente de agua te da en el coño. Pones un pie a cada lado de los grifos para que el chorro te dé directamente en el clítoris. Jack deja la esponja a un lado y notas que sus dedos se deslizan en tu interior mientras el chorro de agua vibra contra ti. Primero sólo te mete un dedo y luego, cuando ya casi no puedes aguantar más, notas que te llena del todo.

Tu piel suave y oleosa roza la suya, y mueves las caderas contra su mano y el fuerte chorro de agua hasta que el coño se te contrae con un orgasmo salvaje que hace que te agarres a los lados de la bañera y tenses todos los músculos por una fracción de segundo antes de llegar al clímax. Ahogas un grito y te relajas de nuevo apoyada en su cuerpo, con los ojos cerrados, mientras el agua con burbujas te salpica el pecho y rebosa de la bañera mojando el suelo ajedrezado.

Los chorros se apagan y tú vas recuperando poco a poco el sentido, y oyes que la bañera empieza a vaciarse cuando Jack quita el tapón con el dedo gordo del pie.

Te inclinas hacia delante y una cortina de agua cae por sus muslos musculosos. No puedes apartar la mirada de su cuerpo mientras sale de la bañera y se envuelve con una toalla sujeta a la cintura.

Jack va a por otra toalla. Te pones de pie y notas que aún te tiemblan las piernas, pero él te toma de la mano para que no pierdas el equilibrio al salir. Te quedas sobre la alfombra del baño bajo la parpadeante luz de las velas mientras él te pasa la toalla por el cuerpo y te va secando trocito a trocito. Primero te da unos toques con la toalla sobre los hombros, te seca los brazos, y luego te la pasa por las tetas y te las seca despacio y con mucho cuidado.

A continuación, se arrodilla frente a ti, te frota el vientre despacio y luego las piernas, una detrás de otra, hasta que al final vuelve a tu coño y te da unos suaves toques para secarlo mientras su erección parece una tienda de campaña bajo la toalla.

Se levanta otra vez, coge un albornoz con el monograma de Jorge V y te cubre con él, te besa otra vez con pasión y te sientes como si fueras una muñeca en sus manos mientras te conduce al dormitorio.

La cama de estilo barroco tiene el tamaño de un islote. Te empujas contra el pecho de Jack, que cae de espaldas sobre la cama y se hunde en el exquisito edredón blanco (estás segura de que la ropa de cama debe de tener un recuento de hilos de varios millones).

Vas a por el champán y sirves otras dos copas, y de paso aprovechas para sacar un condón de tu bolso. Vuelves a la cama y le pasas una copa a Jack. Él toma un sorbo y te observa con una sonrisa de oreja a oreja mientras te acercas a él llevando una bandeja con fresas y un cuenco de plata lleno de nata.

—Ahora te toca a ti —dices desde los pies de la cama, mientras dejas que el albornoz se te deslice despacio hasta el suelo, y él se recuesta en la cama con sus brazos fuertes detrás de la cabeza.

Subes gateando a la cama junto a él, coges una fresa por el pequeño tallo verde, la hundes en la nata y coges un poco con la punta. Utilizas la fresa como si fuera un pincel y se la pasas por la piel suave y sensible de la cara inferior del brazo, por encima de la axila, para pintarle con nata el número uno en la piel. Luego coges más nata con la punta de la fresa y le pintas el número dos en el estómago. Él te mira con deseo mientras tú repites el proceso para pintar el número tres en un pezón y el cuatro en el otro. Le retiras la toalla de la cadera y pintas despacio el número cinco justo debajo del ombligo. Su polla deliciosa apunta al techo y enarcas una ceja al fijarte en que tiene una evidente inclinación hacia la izquierda.

A continuación, te arrodillas frente a él y te pones manos a la obra. Empiezas dando lentos lametazos a la nata empezando por el número uno, que te hace lamer la piel sedosa de encima de su axila mientras deslizas los dedos por la zona sensible del costado y notas que se le pone la piel de gallina y que se estremece de gusto. Te colocas a horcajadas sobre él con cuidado y bajas la cabeza a su estómago para lamer el número dos, tras lo cual te diriges al pezón para hacer lo mismo con el número tres. Sigues tomándotelo con calma y, cuando llegas al número cuatro, notas que el corazón le va a mil.

Jack respira con jadeos rápidos y te das cuenta de que le resulta casi imposible soportar la tortura, por lo que es una suerte que ya toque el número cinco. Bajas la cabeza hasta quedar encima de su ombligo y lames el número cinco, empezando por la parte superior del número con un largo lametazo y siguiendo luego desde la parte inferior del cinco hasta la punta de su polla, que está dura como una piedra. Luego lo miras mientras deslizas la lengua desde la punta, por la curva endurecida, bajas hasta la base y vuelves a subir, tras lo cual hundes la cabeza sobre él y tomas su verga generosa en la boca. Le rodeas la base de la polla con la palma de la mano y la mueves arriba y abajo mientras se la chupas.

Cuando estás segura de que ya no puede aguantar ni un segundo más, vuelves a desplazarte sobre él, coges el condón que dejaste junto a la bandeja, lo abres y se lo pones rápidamente en la polla mientras él susurra tu nombre al oído y te suplica que le dejes penetrarte.

Te colocas encima, desciendes despacio sobre él, y su polla te va llenando el coño húmedo y caliente centímetro a centímetro. Empieza a moverse lentamente contra ti y tú haces girar las caderas y notas que la cabeza de su verga te frota el punto G.

Sus embestidas se vuelven más fuertes y rápidas, y más furiosas, y arqueas la espalda cuando empiezas a sentir que estás llegando al límite. Él te da en el punto exacto con cada acometida, te agarra las tetas con las manos, apretando tus pezones entre sus dedos, mientras lo cabalgas hasta que te corres. El orgasmo recorre tu cuerpo en oleadas y él también se corre poco después que tú con una serie de fuertes espasmos que reverberan en tu coño mientras aún te estás corriendo. Satisfecha, te dejas caer sobre su pecho y sientes la suavidad de su piel contra la tuya, el roce de su barba en la frente.

«*Vive la France!*», piensas. De momento la boda de Jane es la mejor boda a la que has asistido jamás, y eso que aún no ha empezado.

FINAL

Vas directa a la habitación del hotel del piloto

Pasa la llave de tarjeta, te deja entrar primero y regula el interruptor para que haya una luz tenue en la habitación. Te sientes algo mareada el entrar en su *suite*, incapaz de creer que estés haciendo esto.

—¿Una copa? —te pregunta mientras se acerca al minibar.

—Por favor —respondes, y echas un vistazo rápido a la suntuosa *suite*, que es un despliegue de lujo moderno y sencillo. Ves cómo sus hombros anchos se mueven por debajo de la camisa cuando saca un par de botellines del minibar, y te mueres de ganas de sentir la forma de sus músculos bajo la piel y sus labios contra los tuyos. Siempre te ha encantado ese momento previo al primer beso. Todo el flirteo, las mariposas en el estómago, la expectación en aumento, el lento ardor que va subiéndote por las medias.

Intentas decidir dónde sentarte. Tienes la sensación de que hacerlo en la cama es un pelín evidente y el sillón es demasiado solitario, de manera que te acomodas en el sofá. Él te pasa un vaso y vacila. Se nota que está nervioso, y en cierto modo eso te parece encantador.

—Pues bien, cuando empiezas a tener citas... —dices.

—Dime...

—Si consigues que una mujer suba a tu habitación, puedes sentarte a su lado en el sofá. Si quieres.

Te sonríe y se sienta a tu lado, y entonces, sin decir nada más, te pone una mano grande y cálida detrás de la cabeza y se inclina hacia ti. Os besáis, y el beso es ansioso y delicado al mismo tiempo. No os dais ningún golpe torpe con la barbilla ni se os chocan los dientes, sino que encajáis a la perfección. Su lengua hace un recorrido por tu boca y tú le devuelves el favor. El beso termina y él se separa un poco de ti.

—Tendrás que ser cuidadosa conmigo, ¿de acuerdo? No bromeaba. Hace mucho tiempo que no hago esto. —Su vulnerabilidad resulta conmovedora y además te pone.

—No te preocupes, esto no te va a doler para nada. —Esta vez lo besas con avidez y su barba te raspa las mejillas. Le pones las dos manos en el pecho y notas la tirantez de sus músculos bajo ellas. Deslizas los dedos entre los botones de su camisa, ansiosa por sentir su piel.

Él te baja los tirantes del vestido con torpeza, te pasa la mano por el pecho y el escote y desliza los dedos por debajo de la tira del sujetador, pero sin atreverse a tocarte directamente las tetas.

Volvéis a besaros como un par de adolescentes durante lo que parecen horas mientras os familiarizáis con la forma de vuestros cuerpos. En un momento dado, él te sube a su regazo y notas que su erección te presiona a través de sus vaqueros.

Mientras os besáis sigues desabrochándole despacio el resto de botones de la camisa y él te quita los tirantes del vestido y del sujetador, y los va bajando cada vez más hasta que notas su piel contra la tuya.

—¿Qué tal voy? —farfulla de pronto con la boca pegada a tu cuello.

—No está mal para un principiante —respondes con un susurro.

—¡Te voy a dar yo a ti principiante! —replica, y te rodea con los brazos, te tiende de espaldas en el sofá, se pone de rodillas sobre ti con el cuerpo pegado al tuyo mientras os besáis un poco más. Mañana te resultará difícil explicarles a las chicas el sarpullido que te va a dejar la barba. Quizá puedas decir que es una reacción alérgica al marisco. Pero no puedes pensar en eso mientras él baja la boca hacia tus tetas y atrapa un pezón entre los dientes con suavidad, sus dedos se deslizan por debajo de la falda y frotan la tela de tus bragas. Sueltas un gemido cuando anticipas lo que va a venir a continuación.

 Si quieres ponerte encima de él, ve a la página 198

 Si quieres que se ponga él encima, ve a la página 201

Quieres ponerte encima de él

—Espera —susurras, y él levanta la cabeza y te mira.

Te retuerces para salir de debajo de él. Luego le lanzas una sonrisa maliciosa, tiras al suelo uno de los cojines del sofá y te arrodillas entre sus piernas. Él se inclina y te besa tan profundamente que la cabeza te da vueltas. Cuando al fin os separáis, le desabrochas los vaqueros, se los deslizas por las piernas y los arrojas por encima del hombro.

Vuelves a besarlo mientras le arañas con suavidad los muslos con las uñas, arriba y abajo, y notas que se le tensan los músculos. Luego, sin dejar de besarlo, le coges la polla dura como una piedra, se la sacas de los calzoncillos y la agarras con la mano. Nunca has sido tan desvergonzada, pero te encanta ver su reacción. Él toma aire con brusquedad y gime de satisfacción. La piel de su polla es tan suave al tacto que casi parece de seda. Es de un tamaño ideal, pero, para tu sorpresa, tiene una evidente inclinación hacia la izquierda. Se curva más que la torre inclinada de Pisa, pero menos que un bumerán. Fascinada por tu hallazgo, bajas la cabeza y te metes sólo la punta de su verga en la boca. Él gime otra vez y se agarra a los cojines del sofá con tanta fuerza que los nudillos se le quedan blancos. «Esto va a ser divertido», piensas.

Te vas metiendo la polla en la boca despacio, muy poco a poco, vuelves a agarrarla por la base, y cabeceas al tiempo que mueves la mano arriba y abajo mientras se la chupas con deleite. Luego, cuando él menos se lo espera, alteras la velocidad de tu ataque y vuelves a comértela entera. Sus gemidos van ganando intensidad y su mano se enreda en tu pelo, acariciándote la nuca con sus dedos fuertes.

A continuación, se la lames con un solo movimiento lento y provocador, y acto seguido vuelves a metértela en la boca y empiezas otra vez desde el principio, valiéndote de sus gemidos para calibrar su excitación. Y así vas aumentando paulatinamente la intensidad y velocidad de tus movimientos hasta que él corcovea para follarte la boca y te ruega que no pares, que no pares nunca. Pero tú lo haces, porque te da la gana.

Te subes de nuevo al sofá, a horcajadas sobre él y le acaricias la nuca con la nariz. Con las bragas aún puestas, ahora empapadas, cabalgas sobre él, de modo que la parte inferior de su polla dura y palpitante se frota contra tu raja muerta de hambre. La sensación te excita al máximo. Luego él te sujeta y te mordisquea el cuello mientras tú lo montas cada vez más deprisa, hasta que acabáis arqueándoos el uno contra el otro durante unos largos y deliciosos minutos. Por un instante, se te pasa por la cabeza ir a por un condón para que pueda metértela hasta el fondo, pero las sensaciones que te provoca son tan extraordinarias que la idea de parar ahora te resulta imposible. De modo que te frotas más rápido contra él, y la fricción de su polla encendida y tu raja mojada te da mucho placer y te vuelve loca. Quizá sea la pronunciada inclinación de su verga lo que hace que encaje tan bien contra la curva de tu coño, de manera que puede frotarte el clítoris una y otra vez, hasta que llega un momento en que ya no puedes evitar correrte, y él también se corre casi de inmediato con una enorme liberación de energía mientras vuestros cuerpos se sacuden con gritos de placer.

Os hundís en el sofá uno al lado del otro, estremeciéndoos, y él te rodea con los brazos mientras vuestros pulsos recuperan poco a poco la normalidad.

 Ve a la página 204

Quieres que se ponga él encima

Él se arrodilla sobre ti, que estás tendida en el sofá, y utiliza cuatro dedos de una mano para frotarte la raja arriba y abajo por encima de las bragas. Cierras los ojos y empujas las caderas para ir al encuentro de las caricias de su mano. Al mismo tiempo, sus labios te recorren todo el cuello, te chupan las tetas y los pezones duros muy lentamente, provocándote, y luego vuelven a tu boca. No tarda en deslizar las manos dentro de tus bragas, y murmura al descubrir lo mojada que estás. Notas que se mueve y se deja caer de rodillas en el suelo junto al sofá.

Te quita las bragas, hunde la cabeza entre tus muslos, y el hormigueo que te provoca la expectación aumenta tu sensibilidad. Al fin, sientes su boca abierta en tu coño, y al principio te lame sólo una vez, tras lo cual te atrapa los labios suavemente entre los dientes, tira de ellos y luego empieza a lamerte como es debido, una y otra vez, como si fueras un helado delicioso, hundiendo la lengua en tu interior mientras te masajea el interior de los muslos con las manos. Caliente y excitada, levantas la cadera para que su lengua se hunda aún más en ti.

—¡Oh, Dios! —gimes, y te retuerces cuando desliza un dedo dentro de ti al tiempo que su lengua sigue agitándose y excitándote—. Sigue... —le pides, y por un breve instante te atrapa el clítoris entre los dientes, provocándote el mejor de los sufrimientos.

Le pasas una mano por la cabeza y con la otra te agarras al cojín del sofá mientras él sigue lamiendo, y las sensaciones son tan intensas que ya no puedes distinguir lo que es la lengua y lo que son los dedos, lo único que sabes es que, si deja de hacer exactamente lo que está haciendo, te mueres. Antes de que puedas controlarlo siquiera, te corres como una loca, y todos tus músculos se estremecen sin que los puedas contener.

Sientes varias sacudidas en todo el cuerpo y te apartas para hacerle sitio en el sofá. Él se tiende pegado a ti y te estrecha entre sus brazos mientras te estremeces con los restos de tu orgasmo. Te aparta el pelo de la cara y te sonríe, y tú bajas la mano buscando el botón de sus vaqueros.

Encuentras su polla, que está dura como una roca, y la recorres con la mano desde la base hasta la punta, sorprendida al descubrir que tiene una considerable inclinación a la izquierda. La piel es suave como la seda y te encanta su tacto contundente en tu palma. Subes y bajas la mano, lentamente al principio, y luego, cuando él empieza a gemir, vas aumentando el ritmo hasta que no puede evitar arquearse contra tu mano, gimiendo mientras te devora la boca y el cuello a besos y tu mano se mueve cada vez más deprisa hasta que se corre con un orgasmo tan intenso que le sacude todo el cuerpo y lo hace gritar de placer.

Te das la vuelta y te acurrucas de espaldas pegada a

él. Cierras los ojos y notas su pulso en la espalda cuando te estrecha entre sus brazos y va recobrando el aliento hasta que el ritmo de vuestras respiraciones se iguala. «De modo que así es un rollo de una noche», piensas. ¡Caray! Qué rápido podrías acostumbrarte a esto.

 Ve a la página 204

Te despiertas en la habitación del hotel del piloto

Debiste de quedarte dormida. Nada más abrir los ojos, recuerdas que estás en una fabulosa *suite* de hotel con el piloto y doble de Bruce Willis que conociste en el bar. El del pene torcido. Lo notas respirar tranquilo detrás de ti, profundamente dormido.

Te deslizas por el borde del sofá y andas a gatas por el suelo como un guerrillero, mientras de paso vas recogiendo tu ropa, que anda desperdigada por la habitación. Te planteas si dejarle tu número de teléfono escrito en un papel, pero eso iría en contra del objetivo de un rollo de una noche. Lisa tenía razón, ha estado bien por una vez, ha sido algo para animarte y punto. Y marchándote ahora, te libras de la que podría ser la típica e incómoda conversación del día después. Este hombre apenas lleva cinco minutos divorciado. Está claro que alguien que se acaba de separar no es la clase de hombre que buscas.

—Buenos días, aquí no ha pasado nada —dices mientras te diriges al mostrador de recepción, donde le pides al conserje que te llame a un taxi.

El taxista sonríe con aire cómplice cuando subes al vehículo y le pides que te lleve de vuelta a tu hotel ataviada con lo que está claro que es un vestido de cóctel y tacones de aguja, un atuendo que no es precisamente el más adecuado para las ocho de la mañana.

Evalúas los daños en tu espejo de maquillaje y descubres que el rímel se ha apelmazado, el delineador de ojos se te ha corrido y arreglarte el pelo resultaría imposible sin contar con un equipo de peluquería a escala industrial. De modo que haces lo que puedes con los dedos (¿cómo es que nunca llevas un pañuelo de papel ni un peine en el bolso cuando más los necesitas?), pero lo único que podrá con esta catástrofe será un desmaquillador potente cuando estés de vuelta en el hotel. Gracias a Dios que te escabulliste antes de que el doble de Bruce Willis se despertara. Podrías haberle provocado un infarto si te hubiera visto con esta pinta.

Ayer cuando llegaste ya había oscurecido y no te diste cuenta de la magnificencia del lugar en el que va a celebrarse la boda. Mientras el taxi recorre ruidosamente el largo camino de grava de la entrada, divisas una vieja casa solariega, una capilla más antigua aún, jardines con rosales, vastas extensiones de césped que se elevan hacia un capricho arquitectónico y que luego descienden hacia un lago brillante en el que flotan unos tranquilos cisnes, y al otro lado del agua hay hasta ovejas pastando en un prado. Te esperas que en cualquier momento empiece a sonar la música de *Downtown Abbey*.

El taxista te deja al mismo tiempo que se detiene una furgoneta negra por cuyas ventanillas se escapa una música de *drum'n'bass*. Un tipo vestido con unos vaqueros de pitillo negros, una camiseta ceñida y unas botas baja de un salto del asiento del conductor y te lanza una mirada de admiración.

—Buenos días —dice—. ¿Has venido para la boda?

—Pues… sí. ¿Y tú?

—Soy el *disc-jockey*.

—¿DJ Salinger? —Jane acertó cuando dijo que estaba como un tren.

—El único e incomparable. ¿Has olvidado el equipaje? —te dirige una amplia sonrisa y tú se la devuelves. Está claro que sabe exactamente lo que has estado haciendo, y no te juzga.

—Para serte sincera, intento entrar sin que nadie se dé cuenta.

—Ya he pasado por esto —dice—. Si esperas a que descargue mi equipo, te ayudaré a entrar a escondidas.

Estás a punto de aceptar su oferta cuando ves una motocicleta que se acerca por el camino seguida de varios coches. Sin duda son más invitados que llegan para pasar el fin de semana de la boda.

—No te preocupes —contestas con cierto pesar—. Ya me las arreglaré.

—Guay. Te veo luego… espero.

Saludas al recepcionista entre dientes y caminas a toda prisa hacia el pasillo que conduce a las habitaciones. Pero sólo consigues dar unos cuantos pasos antes de oír una voz que te llama por tu nombre. Vacilas. Es la madre de Jane. ¡Te han pillado!

Si sales corriendo, ve a la página 208

 Si apechugas, ve a la página 209

Sales corriendo

La idea de que la madre de tu mejor amiga te sorprenda volviendo a escondidas a tu hotel después de pasar una noche de lujuria con un desconocido te resulta humillante. Aceleras el paso y sigues andando con una enérgica cojera porque los tacones te están matando. Si luego te hace pasar un mal rato, siempre puedes decirle que estabas escuchando el iPod. Hacen los auriculares cada vez más pequeños…

—¡Ah, estás aquí! —dice Cee Cee, que sale por una puerta con los brazos llenos de vestidos metidos en bolsas y te bloquea el paso—. Si no tienes nada mejor que hacer, podrías ayudarme a planchar las arrugas de los vestidos de dama de honor. Y también tengo los conjuntos de las niñas de las flores.

¿Qué haces? Lo último que quieres es pasarte la mañana planchando esa pesadilla de la elegancia que tienes que ponerte el sábado. Parece que estás entre el vestido y la pared. Optas por el menor de los males.

—No puedo —contestas—. Tu madre me necesita. —Antes de que Cee Cee pueda responder, te das la vuelta y gritas—: ¡Ya voy, señora B!

 Ve a la página 209

Apechugas

—¡Buenos días, flor! —te saluda alegre la madre de Jane, que revolotea hacia ti vestida con un chándal de piel de melocotón de un vivo color naranja—. ¿No es precioso todo esto? —dice con entusiasmo—. Me alegro mucho de verte aquí sana y salva. ¿Llegaste anoche? ¿Cómo has dormido? ¿Tienes una habitación bonita? La nuestra es sencillamente divina.

Apenas te deja tiempo para asentir. Lo bueno es que no parece haberse dado cuenta del hecho de que llevas puesto un vestido de cóctel y zapatos de tacón con lentejuelas a las ocho y media de la mañana.

—Ven a saludar a todo el mundo —dice, te agarra por la muñeca y se te lleva hacia una soleada sala de desayunos acristalada. El *disc-jockey*, que está metiendo las cajas de su equipo en uno de los salones de actos, te dice, articulando para que le leas los labios: «Buena suerte».

La vas a necesitar. Cuando la señora B y tú entráis en la sala, todos los que están sentados en torno a una gran mesa de desayuno dejan de hablar de repente y se te quedan mirando.

—Buenos días, querida —te saluda Lauren, la tía de Jane, al tiempo que le echa una mirada deliberada y de aprobación a tu vestido de cóctel. Ella no se escandaliza por nada, pues ha sido casi la única responsable de que añadieran la palabra «marchosos» a los «marchosos años sesenta».

—Buenos días —contestas. Saludas con la cabeza al padre de Jane, que está untándose la tostada con mermelada como si fuera un albañil cementando ladrillos.

La madre de Jane te presenta a la madre de Tom y a su nueva pareja (que por lo menos es veinte años más joven que ella), y luego señala a un hombre muy atractivo que está sentado junto al padre de Jane.

—Y éste es el padre Declan. Hará los honores el domingo.

De modo que éste es el padre Declan. ¡Joder! No te extraña que, cuando era adolescente, Jane estuviera loca por él. Este hombre no puede ser sacerdote, está demasiado bueno. Tiene la piel morena y los ojos bordeados por las pestañas más negras y espesas que has visto jamás en un hombre. El pelo le roza el cuello de la camisa y tiene una mandíbula fuerte, moteada por algo a medio camino entre una barba rebelde de varios días y una barba de verdad. Lleva puestos unos vaqueros y una camisa negra de cuello abierto.

—Encantado de conocerte —dice con una entonación inconfundible.

—No puedes ser sacerdote —sueltas. ¡Maldita sea! No querías decir eso en voz alta—. Quiero decir que no llevas alzacuellos. —Intentas remediarlo.

Él te sonríe, se le arrugan los ojos y se le ilumina la

cara. Y de repente te entran unas ganas locas de dar un salto de fe, de rezar tantos avemarías como haga falta, siempre y cuando puedas seguir a ese hombre adonde te lleve.

—Prometo que me lo pondré para la boda —dice con una voz muy hermosa, y las piernas te flaquean.

—Y por supuesto te acordarás de Bruno, el hermano de Jane —continúa diciendo la señora B, que te señala con un gesto a un hombre de pelo oscuro sentado a un extremo de la mesa junto a una mujer delgada—. Ahora es todo un guionista de series de televisión.

Se te había olvidado que iba a viajar en avión para asistir a la boda. El Bruno que recuerdas era un muchacho pecoso y con sobrepeso que olía un poco fuerte y que tenía la desagradable costumbre de empujarte para que te cayeras encima de las boñigas de vaca. De todos modos, la vida parece haberlo tratado bien. Sigue estando un poco fornido, pero sin duda se ha puesto en forma desde la última vez que lo viste, y también ha mejorado su gusto en el vestir. Lo que sí que aún conserva es una sonrisa pícara, una mata de pelo negro azabache y unas cejas que tienen vida propia.

—Hola, Mofeta —dice—. Ésta es Cat. —Rodea con el brazo a la mujer sentada a su lado. Al menos le saca media cabeza a Bruno y posee una belleza sutil. Te sonríe con cordialidad y te sorprendes de que te caiga bien al instante.

—¿Sin acompañante? —Bruno sonríe con suficiencia.

Abres la boca para replicar, pero la tía Lauren se te adelanta:

—Mantienes abiertas tus posibilidades, ¿no es verdad, querida? —Tú te ruborizas al recordar tus travesuras de anoche. Es una manera de decirlo.

—Bueno, es fabuloso verte ya levantada tan temprano, querida —comenta la señora B.

—Estaba... Yo... He ido a dar un paseo. —Bajas la vista a tus zapatos—. Me he dejado las zapatillas deportivas en casa.

—Mentira —dice Bruno haciendo esa niñería de ocultar una palabra con una tos fingida.

Notas algo pegajoso en la pierna y al mirar abajo te encuentras con una niña que tiene una mano en tu pantorrilla y la otra metida en la nariz.

—¡No! —la riñe una voz de mujer—. ¡No te metas el dedo en la nariz! ¿Cuántas veces tengo que decírtelo? —Y añade—: ¡Tokio! ¡Deja de empujar a tu hermana! ¡No, Manhattan! ¡Deja ese cuchillo ahora mismo!

De pronto, la sala de desayunos parece un hervidero de locos bajitos. Noe, la prima de Jane, te lanza unos besos al aire y se abalanza sobre una cría que está a punto de meterse un cuchillo de aspecto letal en la boca. Noe se llama Noeleen, pero ha sido Noe desde el instituto. Hasta que ella y su novio del instituto, Dom, se prometieron y entonces se convirtieron en Domino, una sola persona indistinguible, y nunca más volvieron a ser dos.

En aquel preciso momento llega Dom, tambaleándose bajo el peso de una cantidad de equipaje que bastaría para hacer una travesía por Mongolia Exterior y lo que parece ser una jaula grande de hámster. ¿Seguro que eso que hay dentro no es una rata? Sí que lo es, una rata grande y moteada.

—¿Sabe Cee Cee que traes a un invitado de más a la boda? —le preguntas señalando la rata con un gesto de la cabeza.

Dom suspira.

—Te presento a *Yodabell*. Y no, no me pidas que te explique el nombre. Las niñas se empeñaron en traerla.

Mientras las pequeñas se apiñan en torno a su padre y la mascota, tú miras de reojo al padre Declan. Alguien tiene que escribir una carta a Roma para poner solución a esto. Está demasiado bueno para estar fuera del mercado.

—¡Buenos días! —Mikey, el padrino de Tom, entra con parsimonia en la sala con un casco de moto y una funda de traje por encima del hombro. Está bronceado y despeinado, como si acabara de apearse de un *jeep* en la sabana africana. Mikey es un cirujano de primera que a temporadas trabaja para Médicos Sin Fronteras, por lo que es imposible pasar mucho tiempo con él. Jane lleva años previniéndote contra él: su fama de mujeriego desenfrenado es legendaria.

Mikey saluda a los demás y luego se dirige hacia ti. Te da un abrazo apretado en exceso y te susurra al oído: «¿Una noche dura?», con ese tono deliberado de quien reconoce a un compañero de batallas. Por suerte se trata de una pregunta retórica y no tienes que dar explicaciones.

Bruno te mira y susurra algo al oído de su acompañante. Sientes un arrebato de irritación. ¿Quién es él para hacer comentarios sarcásticos sobre ti?

—Bueno, no está mal esta chabola —comenta Mikey mirando detenidamente los jardines rústicos pasados de moda que se extienden al otro lado de la sala acristalada con sus fuentes y sus setos de lavanda—. ¿Quién se apunta a un cóctel para desayunar? —Levanta la mano para llamar la atención de la camarera—. Enfermera, nos van a hacer falta unas bebidas, de inmediato.

—Creo que yo voy a subir a mi habitación —dices.

—No te olvides de la despedida de soltera de esta noche —te grita la tía Lauren.

—¿Necesitáis ayuda? —pregunta Mikey—. ¿Qué tenéis en la agenda? ¿*Strippers* masculinos, cócteles con pajitas en forma de pene y ese tipo de cosas?

La tía Lauren le lanza un beso lascivo.

—Oh, bueno, creo que podemos conseguir algo mejor que eso.

—No estés tan segura. La que se encarga es Cee Cee —dices.

—¡Ay, Dios mío! —exclama con un suspiro, y se va a fumar un cigarrillo y a coquetear con el joven botones del hotel.

—¿Estás segura de que no puedo convencerte para que te tomes un cóctel conmigo? —te pregunta Mikey—. Podríamos tomar un *Sexo en la playa* o un *Pezón resbaladizo*. Creo que los dos te gustarían.

«¡Uf!», piensas. La verdad es que Mikey es una parodia de donjuán.

—¿Te funciona esta cursilería? —le preguntas.

Él sonríe con suficiencia, sin inmutarse.

—De todos modos, la última vez que eché un vistazo ahí fuera no había playa —dices.

—Ven a visitarme a la habitación treinta y tres y te demostraré lo equivocada que estás —susurra.

«¡Ni harta de vino!», piensas. No eres de ésas. Pero, claro…, hasta ayer tampoco eras de las que tienen rollos de una noche.

—Os veo esta noche, chicas —anuncias a los presentes, procurando no establecer contacto visual con Mikey ni con Bruno. ¿Cómo es que el hermano de Jane se las ha arreglado para seguir igual de insufrible que cuando tenías once años?

 Ve a la página 216

Es la despedida de soltera

—¿Qué puede ser peor que Madonna cantando «Like a Virgin»? —Lisa tiene que gritar para hacerse oír por encima de la música.

—¿Qué? —gritas tú también.

—¡La tía Lauren cantando «Like a Virgin»! ¡Tierra trágame!

Rompes a reír mirando a la tía Lauren que da vueltas sobre el escenario con los ojos clavados en el joven barman, que parece estar nervioso, aunque intrigado.

Lisa agita la mano para llamar al barman, y el joven arranca la mirada de la tía Lauren, que respira agitadamente contra el micrófono.

—¡Ponme una ronda de tequilas!

Cee Cee es la única que no ha pillado la onda de la noche. Ella quería ir a un *spa*, o que todas os hubierais quedado tranquilamente en el hotel, pero Lisa y la tía Lauren se negaron en redondo e insistieron en que fueseis todas a un *pub* para disfrutar de una noche de karaoke pésimo y cócteles letales.

El lugar está atestado de gente, y echas un vistazo rápido a tu alrededor un poco nerviosa, esperando no encontrarte con el piloto al que abandonaste. Resultaría incómodo.

—¿A que es divertido? —chilla Jane por encima del barullo.

—Muy divertido —aseguras intentando sonar convincente, pero ella ya sabe lo que opinas del karaoke... Si ni siquiera cantas en la ducha, mucho menos lo vas a hacer delante de por lo menos cien personas.

—¡No puedo creer que dentro de nada vaya a casarme! —exclama Jane con un hipido.

—¡Yo tampoco! —respondes.

—¡Mirad, tienen «Bohemian Rhapsody»! —chilla Noe, que repasa la lista de canciones—. ¡Me encanta esa canción! —Cuando la que está claro que no es virgen termina su interpretación, Noe sube corriendo al escenario presa de unos ataques de risa producto del champán para asesinar a otra canción inocente.

—¡Por mi última noche de libertad! —brinda Jane, y se bebe el chupito de tequila de un trago—. Sabes que eres mi mejor amiga de toda la vida, ¿verdad? —dice arrastrando las palabras.

—Sí, y ahora mi mejor amiga se casa.

—Sí... Sobre eso... —Toquetea la alfombrilla de la barra—. ¿Y si estoy cometiendo la mayor equivocación de mi vida?

Un cosquilleo de preocupación te recorre la espalda.

—Todas las novias piensan lo mismo antes de casarse —respondes a modo de evasiva.

—No, pero ¿y si me estoy equivocando de verdad? —pregunta Jane con el labio superior tembloroso.

—Sólo tienes las dudas habituales. Es completamente normal.

—Sé que Tom no es el hombre más fascinante del mundo. Pero será un gran padre.

—¡Oh, Dios mío! No estarás embarazada, ¿verdad?

—¿Qué? ¡Por supuesto que no! Me refiero a más adelante. Lo que pasa es que no estoy segura de que... —titubea.

—¿Qué?

—Nada, no es nada. Él me quiere y es un buen hombre, y de todos modos ahora es demasiado tarde, ya no nos devolverían la paga y señal.

—¿Qué quieres decir? ¿Estás pensando en suspender la boda? —Estás horrorizada, aunque una parte infinitesimal de ti se anima ante la idea de ahorrarte el vestido diabólico de desastroso estampado de espiga.

—No, es que... he estado pensando cosas... —dice Jane.

—¿Qué clase de cosas?

—Tú ya sabes que nunca he estado con nadie más, ¿verdad?

—Sí, pero has besado a otros chicos.

—Besado, sí, pero estar, lo que se dice estar, nunca he estado con nadie más, no de esa forma.

—Jane, empezaste a salir con Tom en tu primer año en la universidad. ¡Si te hubieras tirado a otros cincuenta hombres desde entonces me preocuparía!

—Pero ¿y si el sexo con él es muy muy malo y yo no lo sé porque no me he acostado nunca con nadie más?

—¿El sexo es muy muy malo? —preguntas.

—No lo sé. Es lo que intento decir. ¿Y si resulta que es horrible?

—¡Por el amor de Dios, Jane! ¡Creo que si fuera horrible lo sabrías!

—Pero ¿es que no te das cuenta? ¡No tengo nada con qué compararlo! —Jane hunde la cabeza entre los brazos.

Le frotas la espalda y te preguntas si deberías compartir con ella tus preocupaciones con respecto a Tom. Por un lado, Jane está tan borracha que lo más probable es que por la mañana no se acuerde de nada. Pero, por otro lado, ¿y si se acuerda? No quieres ser responsable de acabar con un matrimonio antes de que haya empezado siquiera. Y ¿qué pasa si Tom no te entusiasma? Como dijo el piloto, no eres tú la que se va a casar con él.

Jane levanta la cabeza.

—Dímelo sinceramente: ¿crees que estoy haciendo lo correcto?

 Si decides decirle a Jane lo que piensas de verdad, ve a la página 220

 Si te reservas la opinión, ve a la página 222

Le dices a Jane lo que piensas de verdad

—¿Y bien? —Jane te atosiga—. ¿Crees sinceramente que estoy haciendo lo correcto?

—Define «correcto» —empiezas diciendo.

—De acuerdo… ¿Crees que Tom es el hombre adecuado para mí? ¿Te cae bien? —pregunta.

—Pues claro que me cae bien.

—Pero ¿te cae bien bien de verdad?

—No, pero no soy yo quien va a casarse con él. No tiene que caerme bien bien de verdad.

—Vale… Entonces, ¿te gusta para mí?

Es ahora o nunca. Mejor tener esta conversación en este momento que dentro de diez años.

—Jane, creo que Tom es…

—¡Oh, Dios mío, me encanta esta canción! —Jane se pone de pie de un salto y corre al escenario, donde su madre y la tía Lauren están ocupadas masacrando el estribillo de «Wild Thing».

Te preguntas si ha abandonado la mesa de manera tan repentina porque no quería escuchar lo que tenías que decirle. Bueno. Ahora no es el momento de sumar más dudas a lo que con suerte no son más que los nervios normales de antes de la boda. Es probable que por la mañana ni siquiera recuerde nada de esto. Hay cosas que sencillamente es mejor callar. Salvada por The Throgs.

Ve a la página 225

Te reservas la opinión

—¿Tom es bueno contigo? —le preguntas.

—Sí, desde luego —contesta Jane.

—¿Te hace feliz?

—Casi siempre.

—¿Es honesto? —dices.

—A más no poder.

—Y lo más importante de todo: ¿tiene una buena polla? —preguntas con expresión seria.

Jane se echa a reír, y acto seguido se levanta de la silla de un salto gritando: «¡Oh, Dios mío, me encanta esta canción!» Sale disparada para unirse a Lisa y Cat, que están cantando a grito pelado el tema de Katie Perry «I kissed a girl and I liked it».

De modo que no le dices lo que piensas en realidad. Pero ¿acaso Jane se acordará de algo de esto por la mañana?

 Si quieres quedarte para una última canción, ve a la página 223

 Si estáis todas bastante cansadas y es hora de volver al hotel, ve a la página 225

Quieres quedarte para una última canción

Está claro que tenía que pasar. Alguien ha elegido «I will survive». El karaoke hace frente a una despedida de soltera: es una ley del universo.

Os apiñáis todas en torno a los micrófonos cantando la letra que todo el mundo conoce y mascullando los trozos que no sabéis, porque es muy tarde y estáis todas demasiado bebidas como para poder seguir esa bolita minúscula en la pantalla minúscula. Casi todo el mundo se suma a la canción y algunos incluso se han puesto a bailar frente al escenario en plan concierto.

Cuando llegáis al punto culminante del segundo estribillo, los micrófonos se apagan. La tía Lauren sigue cantando y no se da cuenta de que está haciendo una versión desenchufada, o no le importa, pero el resto de vosotras dejáis de cantar y la multitud se queja decepcionada. Jane y Lisa dan golpecitos a los micrófonos que tienen en la mano, pero no se oye nada, aunque la música de acompañamiento sigue sonando.

El chico del karaoke toquetea unos cuantos botones y luego se encoge de hombros.

—Lo siento, señoras, debe de haber un cortocircuito o algo así.

Bajáis todas pesadamente del escenario. Cuando pasas junto al *disc-jockey*, lo pillas enchufando una clavija pequeña en su plato. La pequeña luz verde de tu micro vuelve a la vida con un silbido. Le diriges una mirada fulminante y él te la sostiene sin inmutarse.

No puedes culparlo: ¿cuántas veces puede sobrevivir un hombre a una mala interpretación de «I will survive»?

Y de todos modos es tarde, vais todas un poco borrachas y ya es hora de volver al hotel.

 Ve a la página 225

Volvéis al hotel

Maldita sea. No encuentras la llave. Hurgas en el bolso, pero no hay suerte. Te diriges al mostrador de recepción, pero parece ser que lo cierran por la noche.

A saber dónde se ha metido Lisa, y no ves a Jane por ninguna parte, ella y la tía Lauren tomaron otro taxi. Por un instante, te planteas llamar a la puerta de la infame habitación 33, el nido de amor de Mikey. Tal vez puedas fingir una herida y conseguir que le eche un vistazo. Podríais jugar a los médicos. No. No estás tan borracha. Nunca estarás tan borracha para eso.

¿Deberías llamar al gerente nocturno? Es demasiado tarde. Tu única opción es intentar entrar a tu habitación por los balcones del hotel. Estás segura de que dejaste la puerta cristalera abierta. Te quitas los zapatos de tacón y sales al jardín delantero.

Te metes la falda del vestido en las bragas, trepas por la balaustrada hasta el balcón y pasas de puntillas junto a la primera habitación. ¿Cuál es la tuya? La segunda o la tercera..., o algo así. Por suerte, la cristalera de la tercera habitación está abierta y te deslizas dentro.

Enciendes la lámpara de la mesita de noche, pero, en lugar de ver tu maleta en el suelo, ves una cazadora de cuero y un casco de motocicleta.

Al final has acabado en la habitación 33.

Oyes una llave en la puerta. Mierda, ¿cómo vas a explicar qué estás haciendo en la habitación de Mikey en mitad de la noche? Sales disparada al balcón, y te detienes cuando oyes unos pasos arrastrados y una respiración agitada. Mikey no está solo. Murmura: «¡Oh, nena!»

Y entonces oyes una voz de mujer que susurra su nombre.

Te muerdes la lengua para evitar soltar un grito. Reconocerías esa voz en cualquier parte. Retrocedes tambaleándote por el balcón y no te das con la mesa de hierro forjado por un pelo.

Repasas la noche mentalmente intentando comprender lo que acabas de presenciar. Sí, Jane tenía dudas, ¡pero Mikey es el padrino de Tom, joder!

Te diriges a toda prisa a la siguiente habitación —ésta tiene que ser la tuya—, abres la puerta, te dejas caer en la cama y hundes la cara en la almohada. ¡Por Dios, qué desastre!

—¡Ay, Dios mío! —dices.

—¡Santo Dios! —exclama una voz de hombre.

Casi se te sale el corazón por la boca. Parpadeas cuando se enciende la lámpara de una mesita y tus ojos se adaptan a la luz. ¿Qué diantre? El padre Declan está tendido bajo las sábanas a tu lado.

—¡Jesús, María y José! —dice.

—Creía que no podías decir esas cosas —le sueltas.

—Pues claro que puedo, joder, sobre todo dadas las circunstancias. ¿Qué estás haciendo en mi habitación?

—¿Tu habitación? ¡Ésta es mi habitación!

Echas un vistazo a tu alrededor y caes en la cuenta de que en realidad no es tu habitación después de todo. Hay una camisa negra con un alzacuello colgando de la puerta del armario y en la mesita de noche hay un rosario y un misal. Y lo que parece una petaca.

El padre Declan retira la ropa de cama a patadas y se levanta. No lleva nada más que un par de calzoncillos bóxer y, aunque estás anonadada, una diminuta parte de tu cerebro capta que tiene un cuerpo estupendo, con unos hombros anchos que se estrechan hacia un torso largo y delgado. Él debe de notar tu mirada porque se acerca a la maleta, saca una camiseta y se la pone antes de ir a sentarse a tu lado.

—¿Te encuentras bien? Estás muy pálida —dice en tono más suave.

Notas el escozor de las lágrimas y, para tu humillación, te empiezas a sorber la nariz.

—Lo siento. He tenido una noche un poco mala.

El padre Declan saca de algún sitio un pañuelo blanco, limpio y pasado de moda y te lo da.

—Toma, suénate —dice, y te pone una mano cálida en la espalda—. Me has dado el susto más grande de mi vida. Necesito una copa. ¿Por qué no te traigo una a ti también y me cuentas lo que ha pasado?

Te apoyas en las almohadas mientras él vierte un chorro de whisky de su petaca en uno de los sólidos vasos de cristal del hotel y te lo ofrece.

—¿Qué es lo que te ha disgustado tanto? —te pregunta, y se sienta en la cama a tu lado.

—He visto una cosa que me ha impresionado mucho —explicas—. Estábamos en el karaoke y todas habíamos bebido demasiado... —Haces una pausa—. Escucha, esto es superconfidencial. Jane es mi amiga de toda la vida. Tengo que saber que no se lo contarás a nadie.

—Te prometo que nada de lo que me cuentes saldrá de aquí —afirma—. Será como una confesión. A menos que tu amiga esté planeando hacer volar la capilla, en cuyo caso tal vez tenga que advertir al obispo.

Te arriesgas a esbozar una sonrisa tímida.

—Jane no ha parado de hablar de las dudas que tenía, se ha pasado así toda la noche, diciendo que Tom es el único hombre con quien ha estado. —Te resulta raro contarle todo esto a un sacerdote, pero te sienta bien compartirlo—. Y luego no he podido entrar en mi habitación, porque debí de dejarme la llave puesta por dentro, y he trepado al balcón, y ya lo sé, no tiene mucho sentido, pero entonces... pero entonces... he visto a Jane en la habitación de Mikey. Estaban juntos. Él es el padrino de Tom, ¿en qué estarán pensando? —Las lágrimas vuelven a rodar por tus mejillas.

El padre Declan se frota la barba del mentón.

—Y la gente cree que el celibato es difícil. Vamos, venga, no seas tonta, que no se ha muerto nadie. —Te pone el brazo sobre los hombros—. ¿Tú crees que Jane será feliz con el hombre con el que va a casarse?

Vacilas y recuerdas todas tus dudas. Pero es innegable que Tom es un hombre honesto y decente, y que ama a Jane.

—Sí. Quizá. Pero ¿qué hago ahora?

—A mí me parece que tienes dos opciones. Puedes contárselo a Jane. Vas a verla y le dices lo que has visto. Puede que necesite una amiga, alguien con quien hablar. O puedes adoptar la postura de que todo el mundo había bebido, que las bodas vuelven loco a cualquiera y que lo más sensato sería no decir nada.

—Pero ¿cuál de las dos es la correcta? Eres sacerdote, ¿no puedes darme una pista por lo menos?

Declan parece encorvarse un poco y tú lo observas con más detenimiento. Las ojeras que tiene bajo los ojos hablan de una fatiga prolongada.

—No sé si te das cuenta de lo irónico que es que me pidas consejo para hacer lo correcto. —Suspira—. Yo también estoy teniendo cierta crisis espiritual... Por eso estoy despierto a las dos de la madrugada.

—¿Qué? ¿Quieres decir que ya no crees en Dios?
Él se ríe.

—No, ése no es el problema.

—Es por esto... ¿del celibato? —aventuras. En tus

adentros no puedes evitar tener la esperanza de que esté a punto de renunciar a sus votos.

—Por extraño que parezca, no. Aunque cuando una mujer hermosa aparece descalza y con un vestido ceñido en mi habitación... —Te dirige esa sonrisa devastadora y el estómago te da un vuelco a pesar de todo.

Te encuentras con que estás apoyada en su hombro, tan cerca que percibes el olor cálido y ligeramente aromático de su piel. Él sigue hablando:

—No, es algo más profundo. Dudo de mi utilidad. Últimamente me siento como una marioneta de la que echan mano siempre que alguien necesita celebrar un ritual. Seguro que Dios querría que mientras tanto combatiera al mal verdadero: el tráfico de personas, la destrucción del medio ambiente, las guerras, esa clase de cosas.

Suelta un suspiro.

—Mira, sé que cumplo un propósito muy real cuando mis feligreses están enfermos o moribundos, o cuando necesitan desahogarse. Pero ¿sabes cuál es el verdadero punto de fricción para mí?

—Dime. —Eres toda oídos.

—Las bodas. Durante los últimos quince años, he casado a casi mil parejas. Y casi una cuarta parte de ellas ya están divorciadas o separadas. No me importa que frente a mí estén haciendo una promesa a un Dios en el que no creen. Me da igual que hayan estado viviendo juntos. Ni siquiera me preocupa que muy probablemente no vuelvan a aparecer por mi iglesia hasta que quieran que bautice a su primer hijo.

Se vuelve a mirarte y apoya la cabeza en una mano. Tú ya le has cogido la otra mano de manera relajada.

—Continúa —dices.

—Es el hecho de que hagan una promesa tan terriblemente seria e importante sin pensar en lo que están haciendo. Todo el mundo queda atrapado en la fiebre nupcial de los vestidos, los menús y el día perfecto sin tener ni idea de lo que significa compartir una vida y estar juntos durante los siguientes cincuenta años. Oigo a parejas que prometen amarse el uno al otro «en lo bueno y en lo malo» sin tener la menor idea de lo que puede significar «malo».

¡Caray! No lo habías pensado de esa forma. Es una suerte que Cee Cee no lo esté oyendo.

Declan prosigue.

—Y luego están los gastos. Las parejas jóvenes incurren en deudas, a veces ni siquiera han terminado de pagar la boda y ya están pidiendo el divorcio.

Te da un apretón en la mano.

—Pero estoy aquí hablando de mí y tú estás en crisis. ¿Te sientes un poco mejor?

Casi te habías olvidado de Jane, pero ahora tu dilema vuelve de pronto con toda su fuerza.

—¿De verdad no vas a decirme lo que debería hacer? —preguntas.

—Sabes que no puedo. Es tu amiga de toda la vida, y tengo la sensación de que tú ya sabes cuál es la mejor manera de proceder. Con la regla de oro no puedes equivocarte.

—¿La regla de oro?

—«Trata a los demás como querrías que te trataran a ti.» Que traducido es: sé amable.

—Gracias. —Esbozas una sonrisa insegura—. Sí que me siento un poco mejor.

—Es curioso, pero yo también. Parece que soy yo el que se ha confesado. —Arruga los ojos de nuevo al mirarte, y su mirada se ensombrece con algo más fuerte que una cordialidad de amigo.

Te coge la mano, te la besa muy suavemente, y el calor de sus labios hace que se te ponga toda la piel de gallina.

—Será mejor que te vayas. Si no encima voy a tener un enorme problema con los votos de celibato.

Te deslizas fuera de la cama y a continuación te das media vuelta —no puedes evitarlo— y te inclinas para darle un beso en esos labios tan bonitos que tiene. Vuestras bocas permanecen juntas durante un largo momento y, aunque eres consciente de que has tenido besos más apasionados, no crees que los hayas tenido más tiernos.

Te separas de él haciendo un gran esfuerzo y sales por la puerta. Jane te necesita. Tienes un nudo en el estómago. «La regla de oro», repites. ¿Qué sería más amable: enfrentarse a ella ahora mismo o fingir que no has visto nada malo?

 Si decides decirle a Jane que lo sabes,
ve a la página 234

 Si decides fingir que no has visto nada,
ve a la página 237

Has decidido decirle a Jane que lo sabes

Respiras hondo y llamas con suavidad a la puerta de Jane esperando que haya vuelto ya. Ella abre la puerta de golpe con el rostro surcado de lágrimas.

—¡He sido tan idiota! ¡He hecho algo horrible! —se lamenta mientras tira de ti para hacerte entrar en su habitación.

Abrumada de alivio al no tener que enfrentarte a ella después de todo, te sientas en la cama y le tiendes la caja de pañuelos de papel que hay en la mesita de noche.

Jane abre la boca y suelta toda la historia entre lágrimas. Después de regresar del bar de karaoke, estaba subiendo a su habitación cuando se tropezó con Mikey, que iba muy borracho. Se pusieron a charlar, Jane subió a la habitación de él para ir a buscar algo y entonces…

—¿En qué demonios pensabas? —exiges saber.

—No lo sé —brama—. Nunca he estado con ningún otro hombre, no estaba segura, sólo quería ver cómo era.

—Y no se te ocurrió nada mejor que acostarte con el padrino de boda —sueltas, intentando por todos los medios no perder la calma, pero no lo consigues.

Jane interrumpe sus sollozos y se te queda mirando.

—¿Estás loca? ¡No me acosté con él! Nunca haría eso. Nos besamos un poco y entonces, no sé cómo, le toqué la polla… —Jane se limpia la nariz con la manga.

Estás tentada de taparte los oídos para no oír más, pero ella sigue hablando:

—En ese momento reaccioné. ¡Era diminuta!

—¿En serio? —Esto no te lo esperabas.

—¡Como una salchicha fina! Muy muuuy pequeña —dice Jane, que levanta el dedo meñique y lo menea—. Para serte sincera, no sabía que las había tan pequeñas.

—¡Venga ya!

—Lo que oyes. Mucho ruido y pocas nueces. Entonces fue cuando pensé: ¿qué estoy haciendo? Y me fui de allí. Las dudas se han disipado para siempre. Tengo mucha suerte de haber encontrado a Tom. Sé que piensas que es aburrido, pero no lo es, en serio. Y aunque lo sea, es *mi* aburrido.

—¿Vas a contárselo? —preguntas.

—Es probable —responde Jane, y de repente se pone seria—. Quizás él haya hecho algo malo en la despedida de soltero y entonces estaremos empatados.

—Sabes que eso es muy poco probable, ¿verdad? —le dices.

—Lo sé. Y por eso lo quiero.

Jane desvía la mirada, se queda mirando un punto fijo, y ves su expresión. Te das cuenta, tal vez por primera vez, de lo mucho que quiere a Tom. La rodeas con el brazo.

—Al final todo saldrá bien —le prometes—. Sólo tienes que recordar la regla de oro.

—¿La regla de oro? —pregunta.

—Sé amable.

 Ve a la página 239

Has decidido fingir que no has visto nada

Vuelves a tu habitación en medio de un silencio sepulcral. Te has dado cuenta de que tenías la llave en el bolsillo de la chaqueta desde el principio, típico de ti. Estás hecha polvo. En parte es la resaca que ya se deja notar y en parte es agotamiento emocional.

Hay alguien esperando al final del pasillo, sentado en el suelo con las rodillas contra el pecho y la cabeza gacha. Es Jane.

—¿Dónde te habías metido? —te pregunta mientras se pone de pie con dificultad—. ¡Tengo que hablar contigo! —Te conduce a su habitación.

—¡Necesito que me ayudes! ¡La he cagado hasta el fondo! —exclama, y se deja caer en el suelo mientras las lágrimas le corren por las mejillas.

—Ya lo sé —admites, incapaz de contenerte—. Te he visto con Mikey.

Jane te mira.

—¿Qué quieres decir con que me has visto?

Le explicas que perdiste la llave y que te metiste en la habitación de Mikey por error, pero algo te impide hablarle de tu encuentro con el padre Declan.

Jane rompe a llorar otra vez.

—¡No sé en qué estaba pensando! Tenía dudas y me preocupaba no haber estado nunca con ningún otro hombre…

—¿Y ahora que ya lo has hecho? —le sueltas.

—¿Qué dices? ¿Estás loca? ¡No me lo he tirado!

—¿No?

—No, de ninguna manera. Sólo fueron unos besos, y luego le toqué la polla… y me quedé helada. ¡Me largué de allí pitando! Me sentía tan mal. —Se frota las mejillas con un pañuelo empapado—. Y además… Mikey la tiene bastante pequeña. ¡De hecho, la tiene muuuy pequeña!

—¿En serio? —preguntas enarcando las cejas—. ¿Cómo de pequeña?

—¡Como el dedo meñique! —suelta Jane. Te dejas caer en el suelo a su lado y las dos rodáis muertas de risa hasta que os quedáis sin aliento. Al final, ella se suena la nariz y te mira con expresión seria.

—Con Tom me puedo dar con un canto en los dientes. La he cagado. ¿Crees que debería decírselo?

—¿El qué? ¿Que te encanta su polla? Sí, creo que deberías recordárselo todos los días hasta el día que te mueras. Lo otro mejor que quede entre nosotras.

Jane asiente con aire soñador.

—Creo que vamos a vivir juntos y felices para siempre.

—Yo también lo creo —dices. Sonríes al pensar en el pito minúsculo del pichafloja de Mikey.

 Ve a la página 239

Te vas a tu habitación

Mientras deambulas de vuelta a tu habitación por la magnífica y vieja casa solariega, con el canto de los pájaros, que empiezan a despertar, y las primeras luces del amanecer, oyes unas risitas que vienen de una habitación que hay al final del pasillo. Te acercas de puntillas.

El cuarto es en parte lavandería y en parte almacén, y la puerta está entreabierta. Oyes más risas y movimiento y te asomas.

Ves a Cat sentada sobre una de las potentes lavadoras y Lisa de pie entre sus piernas. Se están dando el lote de lo lindo y tienen los ojos cerrados. Lisa le sujeta la cara a Cat y ésta desliza los dedos por la espalda de tu amiga. Te alejas de puntillas, aturdida y meneando la cabeza. ¿Es que esta noche todo el mundo está echando un polvo?

De vuelta en tu habitación, piensas en todo lo que has visto. Entre el karaoke salvaje, haber pillado a Jane con Mikey y haber conocido una nueva faceta de Declan, la noche ha sido un torbellino. Y ni siquiera sabes cómo empezar a procesar lo que acabas de ver en el cuarto de la colada.

Pobre Bruno; aunque no lo soportas, te da un poco de pena. Y luego, cuando te hundes en la cama, no puedes evitar pensar en Declan. En el padre Declan. No, para ti es Declan a secas.

Te sacudes de la cabeza el tono cantarín de su voz y esa boca tan sexy. Como sigas así, vas a ir directa al infierno. Y el fin de semana no ha hecho más que empezar. La cena de ensayo es mañana por la noche… No, un momento, ya es mañana.

Pero ¿qué vas a hacer durante el día? Tienes que salir del hotel, eso seguro, o Cee Cee te va a enganchar y te someterá al infierno de los últimos preparativos de la boda. Jane va a pasar el día con la tía Lauren, de modo que no te necesitará. Podrías dormir hasta tarde y luego ir al *spa* a depilarte las ingles con cera. Aunque eso duele mogollón… Un masaje sería mucho más relajante. Bostezas. Ya lo decidirás cuando te despiertes.

 Para ir a depilarte, ve a la página 241

 Para que te den un masaje, ve a la página 242

Has ido a depilarte al spa

Das un sorbo con gratitud del vaso de agua helada con menta y limón mientras esperas a la esteticista. Es una pena que hayas venido a depilarte las ingles y no para algo más agradable. Pero esta mañana, antes de meterte en la ducha, echaste un buen vistazo a lo que estaba pasando por tus países bajos y decidiste que más valía meterle mano al asunto o de lo contrario podrías hacerte trenzas.

—Lo siento mucho —te dice con voz cansina Olga, la esteticista, que parece una reina del *glamour* y que se acerca golpeteando el suelo con sus tacones altos—. Este fin de semana no hay depilaciones. La máquina de calentar la cera se ha incendiado. Pero si en lugar de eso quiere darse un masaje, nos han cancelado una cita.

 Si te das un masaje, ve a la página 242

 Si vuelves al hotel, ve a la página 225

Vas a darte un masaje

Estás tumbada boca abajo en la camilla de masaje, desnuda bajo una toalla suave y tibia. Se abre la puerta y entra un hombre.

—Hola —te dice con una sonrisa educada—. Soy Claud.

Le sonríes y le devuelves el saludo. Nunca te había dado un masaje un hombre, pero estás deseando probarlo. Parece una cosa moderna y de gente madura. Claud es delgado, y su piel parece indicar que se ha pasado la vida comiendo hierbajos y batidos de vitaminas. Tiene unos brazos musculosos que te hacen pensar que probablemente también sea aficionado al yoga.

Claud destapa un frasco, y un aroma a pino y eucaliptus inunda la habitación. Él se mueve en torno a la camilla, y a través del agujero para colocar la cara le ves las piernas cubiertas por unos pantalones blancos de lino.

—Bueno, dime si la presión que hago es demasiado suave o demasiado fuerte, ¿de acuerdo? —te dice. Tú asientes y notas el aceite tibio en la espalda y sus dedos sobre tu piel, que son suaves pero fuertes e inquisitivos a la vez. Respiras profundamente y suspiras de placer cuando se pone a trabajar los músculos agarrotados del cuello y los hombros. Luego te masajea a ambos lados de la columna vertebral con movimientos largos y constantes.

Notas que sus dedos te van recorriendo la espalda y van bajando cada vez más, y entonces dobla un poco más la toalla de manera que la parte superior de tu trasero queda expuesta a sus dedos, que van ejerciendo su magia mientras masajean, frotan y presionan hasta ir eliminando todas las tensiones que tenías. Cuando sus dedos te masajean la parte superior de las nalgas, sientes que tu coño reacciona, lo cual te pilla por sorpresa. No recuerdas haberte excitado jamás durante un masaje. Te preguntas si será porque el masajista es un tipo muy atractivo o si es por sus dedos, que tendrían que estar asegurados por miles de millones.

—Y ahora, si pudieras darte la vuelta —dice Claud, y te pone otra toalla tibia encima para que puedas darte la vuelta sin enseñar tu cuerpo desnudo. Luego se echa más aceite en las manos y se pone a trabajar por delante. Notas esos dedos hábiles primero en los hombros, y después los baja para masajearte la parte superior del pecho.

Murmuras un poco y abres ligeramente las piernas bajo la toalla. Él está a tu derecha y tienes la cabeza a la altura de su cintura. Puedes ver hasta la forma de su polla a través del fino lino de sus pantalones. ¿Eso de ahí es una erección o sólo lo parece por la manera en que le da la luz?

Mientras te va frotando el pecho con los dedos, te preguntas si querrías que llevara las cosas más lejos. ¿Te costaría más dinero o simplemente sería un buen trato para ambos? Y, si quisieras un final feliz, ¿cómo se lo harías saber a tu masajista? ¿Existe alguna especie de contraseña para estas cosas?

 Si quieres insinuarte, ve a la página 245

 Si te parece una mala idea, ve a la página 246

Le propones un final feliz

Te sientes atrevida. Te apoyas en los codos para incorporarte un poco y miras a Claud pestañeando.

—¿Hay alguna posibilidad de un final feliz?

—¡Qué...! —Claude retira las manos de golpe y retrocede.

—Lo siento, por un segundo pensé que estabas... Pensé que esto era... —Se te ha quedado la boca seca.

—¿Cómo te atreves? ¡Voy a tener que pedirte que te vayas! —te grita Claud.

—Chisss... chissss... —siseas, preocupada por si alguien puede oíros—. Lo siento mucho. No pretendía... Ha sido un malentendido... ¿Podemos hacer como si aquí no hubiera pasado nada?

—¿En qué tipo de establecimiento crees que estamos? Y ¿qué clase de masajista crees que soy? Estudié en Suecia, ¿sabes? ¡Debería darte vergüenza! —Coge un pañuelo de papel y se limpia el aceite de los dedos con enojo.

—¡Espera! —lo llamas cuando sale indignado por la puerta—. ¡Lo siento! ¡No te vayas! ¡Todavía quedan quince minutos!

 Te has dado un masaje (más o menos) y estás lista para la cena de ensayo. Ve a la página 249

No le propones nada indecente

Aunque quisieras decir algo insinuante, te resultaría imposible ser tan directa. Mantienes la boca cerrada mientras Claud empieza a trabajar en tus piernas. Te masajea los tobillos, sube por las espinillas y te presiona las pantorrillas; luego te trabaja la piel por encima de las rodillas con dedos fuertes y ágiles. A continuación, asciende por tus muslos lentamente, primero uno y luego el otro, acariciando los músculos al tiempo que ejerce la presión adecuada.

Los dedos de Claude están a tan sólo unos centímetros de tu coño, que sientes palpitar bajo la protección de la toalla. Tienes que concentrarte para no mover las caderas y obligarlo a tocarte más arriba. Te imaginas sus dedos largos y diestros desviándose de su curso, deslizándose bajo la toalla y penetrándote, primero uno, luego otro…, y la idea hace que se te escape un leve gemido.

—¿Te he hecho daño? —pregunta Claud, que interrumpe lo que hacía.

Tienes que aclararte la garganta.

—No, es perfecto —respondes con voz ronca, y él continúa el viaje de sus dedos utilizando los pulgares como rodillos sobre tu piel.

—Me temo que ya es la hora —dice Claud al fin, y tú abres los ojos lentamente y notas que la decepción invade todo tu cuerpo. No estás preparada para que esto se termine tan pronto, en absoluto.

—Ten cuidado de no levantarte demasiado deprisa, podrías marearte —te aconseja Claude—. Y tómate todo el tiempo que quieras para vestirte. Sal cuando estés lista, no hay ninguna prisa. —Y te deja sola bajo la luz tenue de la cabina de tratamiento.

Te quedas tendida de espaldas, respirando lentamente, con los músculos relajados y a gusto, pero con las terminaciones nerviosas alerta. Te pasas la mano por el estómago y notas cómo se desliza por tu piel resbaladiza por el aceite. Luego bajas la otra mano por el costado hasta la cadera y tiras la toalla al suelo. Te pones la palma en el pubis y ejerces una ligera presión. Balanceas un poco las caderas, consciente de que no tienes todo el tiempo del mundo.

Aprietas los muslos y contraes el coño, que te manda unas intensas oleadas de urgencia por todo el cuerpo. Después te metes la mano entre los labios empapados e introduces los dedos en la piel húmeda y caliente. Te buscas el clítoris con el dedo medio y lo aprietas. Entonces deslizas el dedo por tu raja, arriba y abajo una y otra vez, haciendo movimientos rápidos sobre tu clítoris, que atrapas entre dos dedos, y te contienes para no soltar un grito. Te metes dos dedos, y las paredes calientes y ávidas de tu coño los engullen. Alzas las caderas para empujar contra la palma de la mano, que presionas contra el clítoris, y te introduces otro dedo más.

Alzas las piernas y las separas para poder mover los dedos libremente dentro de ti, mientras sacudes la cadera, hasta que al fin el orgasmo estalla dentro de ti con una intensidad poco habitual. Cierras los ojos con fuerza, notando cómo el clítoris te arde y palpita contra la palma de la mano, y todas las sensaciones se amplifican con cada espasmo de tu cuerpo.

Cuando al fin se desvanecen las oleadas de intenso placer, te sacas los dedos y te quedas tumbada hasta que tu cuerpo se calma. Luego te estiras y te desperezas como un gato, y bajas de la camilla para ir a vestirte. Nunca te has sentido tan relajada.

 Ahora ya estás lista para la cena de ensayo.
Ve a la página 249

Es la noche de la cena de ensayo

Es la noche de la cena de ensayo y sales al balcón de tu habitación del hotel en bragas y sujetador. Mueves los dedos de las manos mientras esperas a que se te seque el esmalte de las uñas. Tu habitación da al jardín de rosales, y a esta hora del día el aroma de las flores es intenso, casi como humo. El lago parece dorado a lo lejos, así como las copas de los árboles.

—¡Ejem!

Te das la vuelta sobresaltada y ves a Bruno que está sentado en el balcón de al lado, vestido ya para la cena, con un vaso en la mano y los pies apoyados en la pared del balcón. Entras disparada a tu habitación, coges una camiseta larga y te la pones con mucho cuidado de no estropearte el esmalte. Entonces sales otra vez.

—No pensé que hubiera nadie aquí fuera —dices roja como un tomate.

—No te preocupes, Mofeta —responde con una sonrisa malvada.

—¡Que no me llamo Mofeta! ¿Por qué tienes que ser siempre tan capullo?

—Pero si siempre te he llamado Mofeta —dice, sorprendido—. Es un apelativo cariñoso.

—No, no lo es. Es un apelativo gilipollas.

—No me había dado cuenta de que no te gustaba.

—Pero ¿cómo puedes no haberte dado cuenta? ¿A qué mujer le gusta que la llamen Mofeta?

A Bruno se le entristece el semblante. Se te pasa por la cabeza la imagen de Cat y Lisa dándose el lote anoche, y de repente te sientes un poco mal por él.

—Lo siento —te dice—. Tienes razón, ya no tenemos once años, no es apropiado. No volveré a hacerlo.

Asientes sintiéndote una idiota por haber hecho un drama de esto.

—Hicimos algunas tonterías en aquel entonces, ¿verdad?

—Nunca se me olvidará la masacre de los Action Men.

—Sólo me estaba vengando. Ya sabes, por cosas por las que hoy en día hubieras terminado en una institución para delincuentes juveniles. Prenderme fuego al pelo. Agresión con una plasta de vaca mortífera. Ese tipo de cosas.

—Mira, supongo que debería explicarme. Cuando éramos niños, siempre me pareciste genial. Estaba un poco colado por ti y me imagino que la única manera que tenía de lidiar con ello era meterme contigo.

—¡No me digas! —exclamas.

—Sí te digo, sí —responde, y os echáis a reír los dos.

—¿De verdad? ¿Lo dices en serio? ¿Te gustaba en aquel entonces?

—Sí. —Te sostiene la mirada y te ves incapaz de

apartarla. En realidad, no quieres apartarla. Quieres oír más sobre este enamoramiento que, desde luego, ha despertado tus recuerdos de Bruno cuando era crío.

—¡Tío Bruno! ¡Tío Bruno! ¡Tito Pruno! —Los Domino se acercan jadeantes por el jardín detrás de sus hijas, que corren por delante de ellos.

—Continuará —dice Bruno, que acto seguido salta por el balcón con una facilidad sorprendentemente atlética y cae de rodillas en la hierba sin que le importe mancharse los elegantes pantalones que lleva puestos. Las niñas se le suben encima para que las lleve a caballito de un lado a otro del jardín. No puedes evitar sonreír al verlo.

* * *

Estás a punto de salir de la habitación para asistir a la cena de ensayo cuando oyes que llaman a la puerta y entra Jane. La viste un momentito al regresar del *spa* (la tía Lauren se la llevaba a hacerse la manicura francesa y luego a disfrutar de una comida cara con unas cuantas copas), pero te mandó un mensaje diciendo que no te preocuparas por ella.

Le das un abrazo.

—¿Qué tal te encuentras?

—Todavía tengo un poco de resaca, pero la tía Lauren se ha pasado todo el santo día dándome Bloody

Marys. Oye, he pensado que contarle a Tom lo de anoche sólo servirá para hacerle daño. Ahora estoy segura de que quiero estar con él. ¿Me convierte eso en una cobarde?

Te vienen a la cabeza las exquisitas palabras del padre Declan.

—No. Te convierte en una persona amable. Todo el mundo puede tener un momento de locura. Y Mikey tampoco dirá nada, ¿verdad?

Jane suspira.

—Imposible. Hemos tenido una pequeña charla después de desayunar. Él también se siente fatal.

Eso te resulta un poco difícil de creer, pero decides callártelo.

—Si lo piensas, de un modo retorcido, Mikey te ha hecho un favor. De no ser por su pito enano, quizás aún tendrías dudas sobre Tom.

Jane se ríe a medias.

—Te va a parecer una locura, ¡pero hasta anoche no tenía ni idea de que podían llegar a ser tan pequeñas! Y ¿sabías que no todos los penes son curvados? Yo di por sentado que todos eran como el de Tom.

Piensas en tu noche con el piloto y su pene extrañamente curvo. Pero no es el momento ni el lugar de mencionar tus escapadas.

—¡Demasiada información! En serio, Jane, me alegro mucho de que Tom y tú hayáis vuelto a encarrilar las cosas.

—Se está haciendo tarde. Será mejor que me vaya. Gracias por estar ahí. Y por no juzgarme. —Jane te abraza otra vez y se marcha a toda prisa. Al menos todo este episodio ha servido para despejar tus persistentes dudas sobre si Tom es el mejor hombre para ella. Está claro que Jane se desmoronaría sin él.

De camino a la cena de ensayo, decides que tu próximo deber es tener unas palabras con Lisa sobre sus actividades extraescolares de anoche.

—Hola otra vez. —Te das la vuelta y ves al *disc-jockey* que sale de su habitación. Está tan bueno que podría derretir el iceberg que hundió el *Titanic*—. Anoche te estuve buscando —dice—. Pensé que quizá te apetecería tomar un trago al anochecer.

Vaya, ¿por qué estás siempre en el lugar equivocado en el momento equivocado? Tener a este hombre cerca hace que se te acelere el pulso.

—¿Qué te parece si lo dejamos para otro momento? —sugieres.

—Trato hecho —contesta.

* * *

Naturalmente, Cee Cee ha organizado la cena de ensayo con una precisión militar. Desde el atuendo apropiado (elegante) hasta la disposición de los asientos (cada cubierto adornado con una tarjeta hecha a mano con el nombre del invitado escrito en caligrafía y tinta dorada) e incluso la ubicación: un elegante salón de actos que se ha dividido para que quepa una sola mesa larga y estrecha.

Vas dando la vuelta a la mesa buscando tu asiento. Es una celebración privada a la que sólo asisten los familiares y los amigos más íntimos. Encuentras tu sitio; en la tarjeta de tu izquierda pone «LISA» y en la de tu derecha «CEE CEE».

—Aquí —le gritas a Lisa cuando entra luciendo un esmoquin hecho a medida y unos zapatos de talón excesivamente alto de un rosa luminoso que le hacen juego con el pelo. Te alegras de que esté sentada a tu lado, así tendrás ocasión de interrogarla por haberla visto comiéndose los morros, y quién sabe qué más, con la novia del hermano de la novia.

Sientes un aleteo en el estómago cuando el padre Declan toma asiento frente a ti. ¿Cómo es posible que cada vez que lo ves esté más bueno? Os saludáis con cordialidad, y luego Bruno y Cat ocupan sus respectivos sitios a la derecha del sacerdote. No se te pasa por alto la mirada ardiente que cruzan Cat y Lisa.

—Sé lo que hiciste anoche —le susurras al oído a Lisa.

—¡Oh, mierda! —suelta ella.

—Podemos hablar de ello después —le dices.

—¡Ni hablar, mira! —Sigues su mirada y casi te caes de la silla. Es el piloto de hace dos noches. Camina por la sala hacia ti. Te cuesta respirar. ¿Qué está haciendo aquí? ¿Te habrá estado acechando?

—¡Papá! —exclama Tom, que le da un fuerte apretón de manos y un abrazo al piloto.

De pronto todo encaja. El pene curvado: de tal palo tal astilla. Te has tirado al padre del novio. Te tapas la cara con el bolso. Lisa sigue boquiabierta a tu lado y entonces estalla en unas carcajadas que parecen ronquidos.

—¡No digas ni una palabra! O saco tus trapos sucios de anoche —le sueltas.

Tom acompaña a su padre al otro lado de la mesa y lo va presentando a todo el mundo. «Mierda, mierda, mierda», piensas mientras ves que se acerca.

Cuando el piloto te ve, te mira ojiplático.

—¡Eres tú! —exclama, y entonces ve a Lisa—. ¡Y tú!

—¿Os conocéis? —pregunta Tom, desconcertado, pero educado—. Pero ¿cómo...?

—Nos conocimos la otra noche —explicas, consciente de que tu tono ha sido inusualmente agudo.

—Sí, podría decirse que lo conoce, en cierto sentido —tercia Lisa, y tú le das una fuerte patada por debajo de la mesa.

Jane llama a Tom para que vaya con ella y, tras lanzaros una última mirada desconcertada a ti y a su padre (¡su padre, Dios santo!), Tom se marcha. Lisa te da un pellizco en broma y se vuelve para hablar con Cat, de modo que te deja sola con el señor Bruce Willis.

—Así que eres el padre de Tom —dices rezumando simpatía.

—El mismo, y tú eres…

—La mejor amiga de la novia —explicas. Estás segura de que se te ha puesto la cara como un tomate.

—¡Qué pequeño es el mundo! —comenta.

—Muy pequeño.

—Diminuto.

Te estrujas la mollera buscando algo que decir.

—Y ¿cómo es que no te he visto…, bueno, por aquí? En este hotel, quiero decir.

—Estaban completos. Por eso me alojo en el otro.

—Bien.

—Te eché de menos la otra mañana —dice en tono íntimo inclinándose hacia ti.

Tú tiras del escote de tu vestido, que de repente te aprieta demasiado.

—¡Jack! —La tía Lauren se precipita hacia vosotros envuelta en una nube de perfume caro y lo abraza. Quizás un vestido de gala de Vivienne Westwood es un poco excesivo para una cena de ensayo, pero así es la tía Lauren.

—Hola, Lauren —dice el piloto, y le da un beso en la mejilla.

—Es estupendo volver a verte… Ha pasado una eternidad desde la última vez —susurra—. He visto que nos han sentado juntos, ¡qué agradable sorpresa! —Te guiña un ojo de una forma que te hace pensar que en realidad para ella no es ninguna sorpresa.

La tía Lauren toma al piloto del brazo.

—¿Nos sentamos? ¿Qué te parece si intentamos poner un poco celosa a tu exmujer?

Jack te dirige una mirada de impotencia mientras ella se lo lleva a rastras.

—¡Mierda! —le susurras a Lisa cuando se vuelve de nuevo a mirarte—. De todos los hombres que hay en las inmediaciones este fin de semana, ¿por qué me he tenido que tirar al padre de Tom? Todo esto es culpa tuya, ¿sabes? ¡Tú fuiste la que lo viste primero!

—Sea el padre de Tom o no, ¡está como un queso! —dice Lisa.

Lo observas a escondidas, sentado en el extremo de la mesa opuesto a donde están la madre de Tom y su nuevo novio. La tía Lauren le murmura algo al oído con la mano apoyada en su brazo. Está claro que Lisa y tú no sois las únicas que pensáis que está bueno.

Muy bien, piensas, has conseguido superar los cinco primeros minutos de la cena, y han sido horrorosos. Tomas la copa de vino: sólo te quedan dos horas y media por delante.

Contemplas a los demás comensales. Saltan tantas chispas entre Lisa y Cat que te resulta increíble que nadie más lo haya notado. Miras a Bruno, pero él parece feliz en su ignorancia, y cuando te sorprende mirándolo, te sonríe con dulzura. Piensas que debe de sentirse mal por la regañina que le has echado antes. Pero te alegras de haberlo soltado. A este paso puede que incluso acabéis siendo amigos.

Suena un teléfono móvil y ves que Jack contesta a una llamada. Luego ves que se levanta y le dice algo a Tom.

—Me temo que tengo que marcharme —anuncia dirigiéndose a los demás, y vuestras miradas se cruzan un instante.

—¿Un vuelo de última hora? —pregunta la tía Lauren.

—Algo por el estilo. Pero os veré a todos mañana en la boda. —Te mira otra vez y luego se marcha. Te preguntas si esa llamada era una estratagema para evitaros más vergüenza a ambos y te reclinas en tu asiento, aliviada y, al mismo tiempo, un poco decepcionada. Pero es lo mejor. Si hubieras sabido que era el padre de Tom, está claro que no te hubieras enrollado con él.

Vuelves a fijarte en el padre Declan. La verdad es que es un hombre sumamente atractivo, y sobre todo esta noche, que lleva un traje todo negro. Está como un tren, no hay otra forma de expresarlo. Y después de vuestra charla seria de anoche te sientes conectada a él. Vuestra conversación fue casi más íntima que si hubierais follado hasta perder el conocimiento. Está haciendo reír a Noe, tiene esa sonrisa devastadora que le arruga la cara, pero aún tiene los ojos ojerosos.

En mitad del plato principal, un *risotto* complicadísimo, notas un pie que roza el tuyo por debajo de la mesa. Al principio es sólo un golpe, pero cuando vuelves a notarlo ves que hay algo más. Te quedas helada, con un tomate seco en el tenedor a medio camino de tu boca. Miras a los que están sentados a tu alrededor. Está Noe, atareada cortando la comida en pedacitos y dándoselos de comer a sus hijas y sentada junto a Declan, quien a su vez está al lado de Bruno, que está inmerso en una intensa conversación con Lisa, Cat y la tía Lauren. Mientras consideras de quién puede ser el pie, cruzas la mirada con Declan y él te sonríe.

¡Dios santo, es él! ¡Él es el que hace piececitos contigo por debajo de la mesa! Está claro que la química que hubo entre vosotros anoche no eran imaginaciones tuyas. Una oleada de calor te recorre desde las puntas de los pies hasta los lóbulos de las orejas. Te sonríe de nuevo, arrugando las comisuras de los ojos, y vuelve a su conversación con la madre de Jane, que está a unos cuantos asientos de distancia de ti.

Notas que su pie se mueve otra vez. Te frota brevemente el tobillo y se aparta. Tú contienes el aliento y mueves el tenedor por el plato, demasiado excitada como para comer nada más. Esperas volver a notar su pie contra el tuyo y te preguntas si no te lo habrás imaginado. Pero no, está claro que ha ocurrido, aún te arde el pie en la zona donde te ha rozado. Declan vuelve a cruzar la mirada contigo y esta vez te guiña el ojo, y ya no necesitas más confirmación. Te quitas el zapato, estiras la pierna hasta encontrar tu objetivo y notas la curva de un tobillo bajo los dedos. Y entonces le vas subiendo el pie despacio, despacio por la pierna.

Declan suelta el tenedor sobre el plato con estrépito y empieza a toser. Tú bajas el pie. Noe se vuelve hacia él y le da unas palmadas en la espalda hasta que se le pasa el acceso de tos, y a continuación vuelve a reñir a París o Penang o Perth, que intenta meter un muslo de pollo (con costra de miso, jengibre y sésamo) en su vaso de agua.

Declan coge su copa de vino y te dirige una mirada sorprendida. Tú sigues jugueteando con el pie, mantienes una expresión inocente y vuelves a llevarlo a su pantorrilla, esta vez subiéndoselo por la pierna y bajándoselo de nuevo, y luego lo subes una última vez y se lo pones en la entrepierna, agradablemente sorprendida por la dureza que encuentras allí.

Ves que Declan está desesperado intentando mantener una calma aparente. Se pone la servilleta en el regazo cuando la madre de Jane le pregunta sobre el nuevo organista de su parroquia.

Cuando la camarera se está llevando los platos, Declan se disculpa y se retira. Esperas unos minutos y luego, incapaz de quedarte un minuto más ardiendo en tu asiento, sales disparada detrás de él.

Te lo tropiezas nada más salir de la sala y él te agarra de la mano y te mete en una sala vacía y oscura, un espacio estrecho lleno de mesas y sillas de repuesto y un sofá contra la ventana. Declan te lleva a un rincón y no sabes si lo que ves en sus ojos es furia o deseo.

Intenta empezar tres frases distintas y acaba renunciando, suelta un gemido y te toma entre sus brazos. Notas cómo le palpita el corazón contra tu pecho.

—¿Qué voy a hacer contigo? —dice, y te da un beso en el pelo. Tú te retuerces contra su cuerpo, desesperada porque quieres más, y alzas la cabeza hacia él. Declan te mira fijamente, pero no hace ademán de ir a besarte.

No puedes soportarlo. Te pones de puntillas y pegas tu boca a la suya. Durante un largo minuto él no reacciona. Pero, entonces, emite un gemido de satisfacción y abre la boca contra la tuya. Casi te desmayas de deseo y alivio, te deleitas con la suavidad y la calidez de su boca antes de deslizar tu lengua vacilante contra la suya. Él responde despacio, con una lentitud desesperante, pero vuestras lenguas se encuentran a medio camino y él mueve la cabeza y te roza la cara con la barba. Lo agarras por la nuca, mueves las caderas contra él y, por muchos conflictos emocionales que pueda tener, de su erección no hay absolutamente ninguna duda.

Y luego es como si se rompiera una presa y lo tienes encima, besándote frenéticamente, sobándote el culo con las manos y sujetándote contra él con tanta fuerza que casi es demasiado brusco.

Os dejáis caer en el sofá, jadeando, y él se aferra a ti

con el rostro arrugado como si estuviera al borde de las lágrimas. Cierra los ojos y apoya la frente en la tuya. Le pasas la yema de un dedo por los labios y le besas la mandíbula, vas bajando hacia el cuello, inhalando su denso olor masculino mientras bajas más y más.

—¿Qué estamos haciendo? —susurra.

—Empezaste tú —dices.

—¿Ah, sí?

—¡Sí! —Estás indignada—. ¿Qué eran todos esos piececitos por debajo de la mesa?

—¡Yo no empecé…, fuiste tú!

Si el pie no era de Declan, ¿de quién era? Caes en la cuenta de que sólo podía ser de Bruno. Recuerdas la conversación que tuvisteis antes de la cena en el balcón y las miradas que te echaba en la mesa esta noche. Pero eso no cambia cómo te sientes ahora.

—Lo siento. Sé que no está permitido, pero nunca he deseado tanto a nadie —dices.

—Ni yo tampoco. Ojalá no fuera tan complicado.

*Si estar con él es demasiado complicado,
ve a la página 263*

*Si quieres estar con él aunque sea complicado,
ve a la página 267*

Es demasiado complicado

—Lo entiendo. No quiero entenderlo, pero lo entiendo.

—¡Oh, al carajo! —dice, y se inclina otra vez hacia ti, te rodea la cabeza con las dos manos y te besa con desesperación, metiéndote la lengua hasta el fondo, como un hombre que se ahoga aferrado a una balsa. Esta vez eres tú la que se aparta, tras unos largos minutos de puro éxtasis. Necesitas de toda tu fuerza de voluntad y sabes lo mucho que vas a lamentarlo más tarde, pero no puedes seguir adelante con esto: hay demasiadas cosas en juego.

—Declan, no puedo —dices cogiéndolo de las manos—. No es que no quiera, ahora mismo es lo que más deseo en el mundo, pero no puedo ser responsable de esto. Es una cosa demasiado gorda.

Os quedáis los dos en el sofá con los rostros que casi se tocan, limitándoos a respirar por un minuto. Luego te roza la mejilla con las yemas de los dedos y te besa suavemente en los labios.

—No puedo quedarme —dice.

—¿A qué te refieres? —preguntas tartamudeando.

—No puedo quedarme y seguir adelante con esta boda. Me convertiría en un hipócrita de la peor clase, y sé que comprendes por qué. Esto… —te mira— ha sido la gota que ha colmado el vaso.

—Espera —le dices, y lo agarras del brazo—. No

puedes marcharte ahora, la boda de Jane es por la mañana. —Sientes que te quedas sin aliento en el cuerpo. No
puedes ser responsable de que el sacerdote de tu amiga
se vaya. Cee Cee te va a matar, literalmente.

—Lo siento. Pero tengo que marcharme.

—¡No! ¡Por favor, piénsatelo! ¿Qué haría Jesús?
Pregúntate eso. ¡Él seguro que se quedaría y casaría a
Jane!

Declan se ríe.

—Ojalá te hubiese conocido hace veinte años. Y dé-
jame que te diga que Jesús no se alojaría en un tugurio
como éste. Probablemente estaría sacando a patadas a
los banqueros del templo de Mammón en alguna parte.
—Te da un beso en la punta de la nariz—. ¿Les dirás que
me he marchado? —te pide—. Y dile a Jane que le deseo
lo mejor. Espero que ella y su novio lleguen hasta el final.

—¡Espera! —le gritas cuando se levanta y aún no te
ha soltado la mano—. ¿Adónde vas?

Ves el brillo de sus dientes en la penumbra de la habitación.

—Me voy para unirme a Greenpeace. Y, después,
¿quién sabe? Y tú cuídate mucho. —Te besa la mano y
desaparece.

Mierda. ¿Qué vas a decirle a Jane? Por fin, regresas
temblorosa al comedor privado para enfrentarte al pelo-
tón de fusilamiento, aunque Cee Cee te parece más bien
de las que ataca con cuchillo.

Dejas de lado la *mousse* de chocolate intacta, adornada con espirales de vainilla y un nido de algodón de azúcar. Te perdiste todo un plato mientras estuviste fuera secularizando al sacerdote. Alguien da unos golpecitos en una copa de vino y todo el mundo guarda silencio. Lisa te dirige una mirada preocupada y Bruno no te quita la vista de encima. No sabes cómo no te habías dado cuenta antes, pero la intención que hay detrás de sus miradas está más clara que el agua.

—¿Dónde está el padre Declan? —pregunta la madre de Jane mientras lo busca con la mirada. Tú te aclaras la garganta:

—Me pidió que lo disculpara, ha tenido que subir a su habitación para... ocuparse de un asunto de la parroquia. —No es la clase de noticias que se comunican a una multitud, y menos después de una buena comida con una gran cantidad de vino.

Después de los discursos te llevas a Jane y a Lisa a un lado.

—Tengo que contaros una cosa —empiezas a decir.

—¿Qué pasa? —pregunta Jane con pánico en los ojos. Conoce demasiado bien tu expresión culpable.

—Declan no se ha marchado sólo para ir a su habitación.

—¡Oh, joder! Y ahora ¿qué has hecho? —dice Lisa, que lo pilla de inmediato.

—¿A qué te refieres? —pregunta Jane, que tarda más en entenderlo.

—Ha tenido que marcharse —tartamudeas— porque está teniendo una... una... crisis de fe.

—Qué guarra... —empieza a decir Lisa, pero se tapa la boca—. ¡Eres toda una leyenda! —Levanta la mano para que choques los cinco, pero no le haces ni caso.

—¡No, no, nada de eso! —protestas.

—¿Te has follado a mi sacerdote y ahora se ha ido? —dice Jane alzando la voz, lo que hace que algunas cabezas se vuelvan a mirar.

—¡No me lo he follado! —replicas entre dientes—. Sólo nos hemos besado un poco. No he podido evitarlo. Pero ¿tú lo has visto? ¡Es un puto dios!

—Bueno, no exactamente, pero trabaja para uno —dice Lisa—. Y eso hace que lo que has hecho sea aún peor, si lo piensas.

—¡Gracias por la ayuda! —exclamas, exasperada.

—¡Tú lo has estropeado y será mejor que encuentres la forma de arreglarlo! —te ordena Jane, apuntándote en el pecho con un dedo de novia asustada, puntiagudo y afilado después de la manicura.

Y ahora ¿quién va a oficiar la ceremonia?
Ve a la página 277

Quieres estar con él, aunque sea complicado

—Lo entiendo, es complicado —dices asintiendo enérgica.

—Sí, es jodidamente complicado —coincide él, y se lanza de nuevo sobre ti. Vuestras bocas se unen y se estrujan, tú cierras los ojos y te sumerges en su calor. Y te das cuenta de que es lo que has querido desde el momento en que lo conociste.

Le pasas las manos por el pecho con vacilación y él gime en tu boca al notar tu tacto. Le desabrochas un par de botones para poder sentir su piel bajo tus dedos. La enormidad de lo que estás haciendo te lleva casi al borde de las lágrimas y aumenta más aún tu deseo por él. Al fin, notas sus dedos, que tiemblan al tocarte, rodeándote los hombros. Levantas la mano para soltarte el tirante del vestido y él te recorre el cuello con la boca, va bajando y se detiene para besarte el hombro. Y entonces, con mucha suavidad, te pone la mano en el pecho.

—Hace mucho tiempo —dice en voz baja.

—No pasa nada —respondes. Lo empujas hacia el sofá y te colocas con cuidado en su regazo, a horcajadas, temerosa de abalanzarte sobre él. Declan levanta las manos para agarrarte el borde del vestido y en la penumbra ves que le tiemblan. Lo ayudas a apartar la tela y desliza las palmas sobre tus pechos, y con los pulgares te acaricia lentamente los pezones, que ya los tienes duros como piedras. Te acaricia las tetas durante un largo rato antes de bajar la cabeza. Se la coges con suavidad por detrás mientras él baja la boca hacia la delicada piel de tus pechos. Sueltas un grito ahogado cuando te lame primero un pezón, y luego el otro, y se toma su tiempo para comértelos y saborearlos. Al fin, le levantas la cabeza y os besáis con tanta intensidad que te asombra que no ardáis en llamas.

No puedes soportar más la espera, así que le coges la hebilla e intentas desabrocharla con torpeza porque las manos te tiemblan debido a la adrenalina que te recorre el cuerpo. Le sueltas el botón, le bajas la cremallera con cuidado y le coges la polla suave y empinada que lleva años esperando que la toques. Declan baja la cabeza contra tu cuello y se queda así, respirando hondo mientras tú le rodeas la verga con la mano. Gime otra vez y echa la cabeza hacia atrás. Luego pone la mano sobre la tuya y la detiene un momento: está claro que la sensación es demasiado intensa para él. De modo que sujetas su polla palpitante en la mano mientras él respira lentamente para aguantar lo que está sintiendo. Te emociona el efecto que estás teniendo en él, pero su necesidad hace que tu deseo también sea insoportable.

—Mi bolso —susurras, y él lo coge de tu lado e intenta abrir el cierre con torpeza. Sin duda, un bolso de mujer es un objeto absolutamente desconocido para él. Se lo coges de las manos, lo abres de golpe y buscas a tientas el bolsillo lateral para sacar el condón de emergencia que guardas allí. No quieres separarte de él, pero tienes que quitarte las bragas empapadas, de modo que te pones un segundo de pie para despojarte de ellas. A continuación, vuelves a ponerte a horcajadas sobre él, le pasas un brazo por el cuello y rasgas el envoltorio del condón.

Lo besas suavemente y deslizas el preservativo por su polla. Está tan dura que temes que pueda estallar antes de poder incluso penetrarte, que es lo que de verdad necesitas. Con urgencia. Ahora mismo.

—Allá voy, tanto si estás listo como si no —le dices al oído mientras te sitúas sobre su verga, colocas la punta entre los labios mojados de tu coño y te dejas caer poco a poco para que te penetre hasta el fondo. Él grita y te agarra la espalda.

Lo sientes enorme dentro de ti e intentas quedarte quieta para prolongar el momento todo lo posible, y le besas la frente, pero Declan no puede aguantar ni un segundo más y se corre en silencio, agitando los hombros bajo tus dedos. Lo rodeas con los brazos y apoyas la mejilla contra la suya.

Cuando al fin abres los ojos, la habitación te parece distinta… La luz ha cambiado. Declan sigue ajeno al mundo, con la cabeza gacha contra el hueco de tu clavícula. Notas un hilo de sudor, ¿o podría ser una lágrima?, que le baja por la mejilla y cae en tu piel.

Al final, te levantas de encima de él, y al darte la vuelta ves a Jane y a su madre de pie en el otro extremo de la habitación, boquiabiertas y cargadas de regalos. Aterrorizada, le das unos golpecitos a Declan y te bajas el vestido.

Él se queda lívido al verlas.

—¡Oh, joder! —masculla, y se sube la cremallera. Lisa y Cee Cee aparecen por detrás de Jane y su madre, con las manos llenas también de regalos maravillosamente envueltos. Se oye un terrible estruendo cuando a Cee Cee se le cae un paquete de las manos que se estrella contra el suelo.

Jane se ha quedado petrificada.

—¡Que me jodan! —exclama Lisa—. Me preguntaba dónde te habías metido. ¡Perdónate, padre, porque has pecado!

La madre de Jane retrocede tambaleante un par de pasos y se sienta en una de las sillas apiladas, y Cee Cee hace lo mismo. En la habitación reina un silencio sepulcral. Los manuales de protocolo para bodas no contemplan esta situación.

Declan se aclara la garganta mientras se abrocha la camisa.

—Jane, me temo que no voy a poder casaros mañana.

—¿De verdad? —dice Lisa.

Jane sólo boquea, no puede parar de abrir y cerrar la boca sin emitir sonido alguno.

—Probablemente lo mejor es que me vaya —dice el sacerdote—. Lamento mucho todos los inconvenientes.

—Entonces se vuelve hacia ti y te besa, te acaricia la mejilla con el pulgar con delicadeza y acto seguido sale de la habitación con la cabeza gacha.

—Te veo el próximo domingo en la iglesia —le dice la madre de Jane al verlo salir, con una voz robótica y excesivamente educada.

—¡Mamá! —exclama Jane con brusquedad—. ¡Lo dudo mucho!

—Jane, lo siento muchísimo —dices.

—Esto sí que no me lo esperaba —comenta Cee Cee, a la que por fin le salen las palabras.

Incapaz de contenerse más, Lisa estalla de risa.

—Mierda —dice Jane—. Y ahora ¿quién demonios va a casarnos mañana a Tom y a mí? —Le da una torta en el brazo a Lisa—. Deja de reírte, no tiene ninguna gracia.

Y a continuación se vuelve hacia ti.

—Se supone que voy a casarme dentro de menos de doce horas. El padre Declan me conoce desde que era pequeña. Y tú... te las has arreglado para sabotearlo todo. De todos los tipos que tenías a tu disposición para follarte, ¿por qué has tenido que ir a por mi sacerdote?

Su madre y Cee Cee asienten con expresión severa. Tienes graves problemas.

—Jane... —empiezas a decir.

Pero es demasiado tarde y ella va alzando la voz hasta que acaba chillando.

—¡Te has cargado mi boda! ¡Quiero que te largues de aquí ahora mismo!

—Pero... —titubeas. Poco a poco ha empezado a entrar más gente atraída por los gritos, pero Jane tiene uno de sus monumentales arrebatos de furia tan poco habituales en ella. Hasta Lisa parece estar nerviosa. Jane se vuelve hacia la multitud.

—Se ha follado al cura, y ahora él se ha marchado y no sé cómo se supone que voy a casarme mañana. —Rompe a llorar y sale de la habitación como un huracán. Tom te mira horrorizado y se apresura a ir tras ella.

Notas las miradas de desaprobación que se dirigen hacia ti y se te encoge el corazón.

—Lo siento mucho.

Te escabulles temblando de consternación, y los Domino apartan a sus hijas como si pudieras contagiarles alguna enfermedad cuando pasas por su lado para dirigirte a tu habitación.

Metes la ropa en la bolsa, pero dejas allí el vestido salmón de la vergüenza. El único y mínimo consuelo de todo este desastre es que no tendrás que ponértelo mañana.

Cuando estás recogiendo los artículos de tocador en el cuarto de baño, oyes que llaman a la puerta. No puedes evitar sentir un destello de esperanza. ¿Ha vuelto Declan?

Jane entra a toda prisa en la habitación con la cara aún llena de lágrimas. Os quedáis mirando fijamente durante un largo minuto y entonces soltáis las dos a la vez de sopetón: «¡Lo siento!», y os fundís en un abrazo hasta que os separáis para coger unos pañuelos y sonaros la nariz.

—Lo siento muchísimo, Jane, de verdad. No era mi intención que ocurriera nada de esto. Y quiero que sepas que no estaba experimentando... por la novedad. Sentí una conexión de verdad con Declan.

—¡Lamento mucho haberte dicho que te marcharas gritando de esa manera! Ha sido por la impresión, y también por los nervios de novia histérica, que no puedo evitar. Es una decepción que el padre Declan no vaya a casarnos mañana, pero Cee Cee ya está buscando un sustituto.

—Ella se crece en momentos de crisis. —Ambas sonreís, temblorosas.

Jane te coge de la mano.

—La verdad es que quiero que te quedes.

—Te lo agradezco mucho..., gracias de verdad. Ojalá pudiera. Pero va a resultar demasiado embarazoso. Habría un mal ambiente, y cotilleos, y no quiero estropear aún más tu boda. Creo que es mejor para todos que me marche con discreción, ¿no te parece?

—Puede que tengas razón. —Jane suspira—. Aunque te echaré de menos. Y el padre Declan..., ¿volverás a verlo? ¡Dios, se hace raro hasta preguntarlo!

—No sé si hay alguna posibilidad de futuro para nosotros. La situación no es precisamente normal. Pero, aunque nuestros caminos nunca vuelvan a cruzarse, no puedo lamentar lo que hemos hecho. Ha sido muy hermoso. Aunque sé que ha supuesto meter un palo en las ruedas de tu boda.

—¡Por no decir algo peor! —Jane te abraza otra vez, con fuerza—. Buena suerte —dice.

—Igualmente. Que tengas una boda maravillosa, y saluda a Tom de mi parte. Diles a tus padres que les escribiré para disculparme.

Tras una última ronda de abrazos de despedida, bajas con sigilo a la recepción y le pides a la gerente nocturna que te llame a un taxi.

—Acabo de pedir uno para el otro caballero, el sacerdote —te dice arqueando una ceja muy fina.

¡Declan! Arrastras la bolsa por la puerta principal y al salir ves una figura larguirucha que camina de un lado a otro del césped.

—En momentos como éste es cuando lamento haber dejado de fumar —te dice cuando te acercas—. ¿Qué haces aquí fuera?

—Me ha parecido mejor marcharme. De lo contrario, mañana voy a ser la oveja negra del banquete. —Te tiembla la voz.

Declan te estrecha entre sus brazos.

—Dos huérfanos bajo la tormenta. Y ahora ¿qué?

Es un alivio apoyarse en él.

—Estoy abierta a cualquier idea brillante.

Declan se aparta para mirarte a la cara.

—He estado gastando suela intentando reunir valor para ir a buscarte, y aquí estás.

Hace una pausa y su semblante se crispa.

—Mira, tengo que serte sincero. Ahora mismo no soy lo que se dice un chollo. No tengo ni idea de lo que me depara el futuro, aparte de un montón de complicaciones. Pero una cosa sí sé: no voy a marcharme de aquí sin ti.

Notas que una sonrisa asoma a tu rostro al oír sus palabras.

—No espero declaraciones ni promesas. Pero, mientras estemos juntos, al menos podemos hacer esto.

Te pones de puntillas para darle un beso y un crujir de grava anuncia la llegada del taxi.

Declan te pone las manos en los hombros y arruga los ojos.

—Muy bien. ¿Nos vamos entonces? —Mete las bolsas de los dos en el maletero y luego te ayuda a subir al taxi.

—Parece que esto es el principio del final. O el final del principio. O algo —dice.

Te acurrucas contra él y acercas su cara a la tuya buscando su boca.

—O algo —repites. Y te pierdes en los besos que das

y que recibes mientras el taxi avanza por la carretera
con un ronroneo.

Tienes que encontrar a alguien que oficie la ceremonia de la boda de Jane

—Pásame la miel, por favor.

Cee Cee te fulmina con la mirada y hace caso omiso de tu petición. No se acaba el mundo por el hecho de que no te hable durante el desayuno. Al menos Jane y Lisa sí te hablan, y ellas son las que te importan de verdad.

Y no todos los invitados te ven como persona non grata: la tía Lauren te considera una leyenda y Noe cree que eres una diosa. Como una especie de penitencia (y para evitar a los furiosos padres de Jane), te ofreciste para acostar a las niñas después de la cena de ensayo. Acabaste ayudándolas a hacer una pajarita en miniatura y un esmoquin babero para *Yodabell* la rata, y representando una boda a tres bandas entre la mascota, la Barbie Sunrise y el Ken Malibú, lo cual ayudó a distraerte un poco del desastre con Declan y su marcha apresurada.

—Llevo casi toda la noche al teléfono. He llamado a todos los lugares en los que se celebran bodas en un radio de ochenta kilómetros a la redonda —dices.

—Bien. ¡Como tú lo has estropeado, tú te ocupas de arreglarlo! —replica Cee Cee con brusquedad. Está gruñona, pero es algo que le encanta. Nadie resplandece tanto como ella en una crisis nupcial.

—He averiguado que hoy se celebran nueve bodas en esta zona. Seis de ellas son a la misma hora que la nuestra, lo cual nos deja con tres posibles oficiantes autorizados. He hablado con dos de ellos, están disponibles y dispuestos a ayudarnos, y aún tengo que hablar con el tercero. De modo que al menos tenemos opciones.

—¡Oh, gracias a Dios! —exclama Jane al tiempo que se reclina en su asiento y se le agitan los enormes rulos que lleva en la cabeza—. Ya sabía yo que todo iba a salir bien.

Cee Cee echa un vistazo a su reloj y se levanta.

—Jane, el equipo de maquillaje va a llegar de un momento a otro. Será mejor que nos vayamos.

—Espera, tenemos que elegir a un oficiante para la boda —comentas mientras Cee Cee se lleva a Jane a toda prisa.

—Elige tú uno —te dice la novia mirándote por encima del hombro.

—¡Espera!

—¡Pero asegúrate de que no te lo vas a querer follar! —te grita Jane, y ella y Cee Cee desaparecen.

—¡Maldita sea! —le dices a Lisa cuando se han ido.

—¿Qué pasa? —te pregunta.

—Hay un pequeño problema técnico que no he tenido ocasión de mencionar.

—¿Cuál?

—De los que están disponibles, tenemos a un imitador de Elvis. Y luego hay un gurú de la nueva era. Y todavía estoy esperando respuesta de una juez de paz.

—¡Genial! —Lisa suelta una risotada—. ¿Es que ya nadie se casa de una manera normal?

—A buen hambre no hay pan duro —dices mordiéndote las uñas.

 Si eliges al oficiante imitador de Elvis, ve a la página 280

 Si eliges a la juez de paz, ve a la página 317

 Si eliges al oficiante de la nueva era, ve a la página 330

Eliges al imitador de Elvis

Cee Cee da vueltas en torno a Jane dándole los últimos retoques a la falda. Luego el señor B le tiende el brazo a su hija y ella se lo coge con una sonrisa. Es increíble lo hermosa que está. Tienes un nudo en la garganta, pero puede que sólo sean los nervios.

Cee Cee se arrodilla delante de la niña de las flores y le da las últimas instrucciones. Tokio está enfurruñada porque han desterrado a *Yodabell* en su jaula al fondo de la iglesia. París empieza a llorar porque ya ha volcado su cesta de pétalos encima de la cabeza de Manhattan, pero Cee Cee toma enseguida un puñado de pétalos de los cestos de cada niña para volver a llenar el suyo y se evita la crisis justo en el momento en que Elvis alza su guitarra y empieza a cantar: «Los sabios dicen que la ignorancia es osada...» Es la indicación para que las damas de honor comiencen a caminar por el pasillo.

Tienes que reconocer que, para lo que suelen ser los imitadores de Elvis, no has tirado el dinero. El *sacerdote* sustituto viste un mono del rey del rock de color azul eléctrico y decorado de arriba abajo con pedrería de fantasía. Lleva un enorme tupé ahuecado y un par de gafas de sol blancas gigantescas. Tom hace todo lo posible para mantener una expresión seria y, a su lado, Mikey se troncha de risa en silencio.

Jane ve a Elvis por primera vez cuando camina por el pasillo y se detiene para lanzarte una mirada fulminante. Si las miradas mataran, ésta te habría atravesado el corazón. Articulas bien para que te entienda y le dices: «¡Lo siento!», pero ves que sonríe al ver a Tom esperándola en el altar.

Se te ablanda el corazón cuando la ves caminar hacia él. Por desgracia, ya nunca podrás volver a mirar a Tom sin pensar en su padre y su pene curvado. ¿No es increíble? De todos los hombres de todos los pueblos del mundo donde se celebran bodas, el tipo con el que decides liarte en tu primer rollo de una noche resulta ser el padre del que está a punto de ser el marido de tu mejor amiga. Al pasear la mirada por el lado de la iglesia donde están los invitados de Tom, no puedes evitar fijarte en la cabeza bien afeitada de su padre entre la multitud, y el estómago te da un pequeño vuelco al recordar el sexo que tuvisteis. Se vuelve para mirar a Jane, que camina por el pasillo, y te ve. Está muy atractivo con su traje de Armani hecho a medida y una fina corbata negra, y te sonríe, con lo que el estómago te da otro vuelco.

Elvis se pone a cantar a la menor oportunidad. Así pues, en lugar de un sermón, hay una emotiva interpretación de «Love me tender». Y lee los votos nupciales en forma de canción mientras la madre de Jane se enjuga las lágrimas de las mejillas.

—Si alguien conoce algún motivo por el que estas dos personas no deban casarse, que hable ahora o calle para siempre —canturrea Elvis.

Echas un vistazo a tu alrededor conteniendo el aliento. Pero nadie dice nada.

—En tal caso, por el poder que me ha otorgado el Estado de Graceland, yo os declaro marido y ah-ja-ja-ja... mujer. Puedes besar a la novia.

Elvis se pone la guitarra delante de un tirón y se lanza a cantar una alegre e inapropiada versión de «You ain't nothing but a hound dog» con rotaciones pélvicas incluidas.

Los Domino les tapan los ojos con las manos a sus hijas.

Tom y Jane recorren el pasillo cogidos de la mano. Ya puedes respirar tranquila. Todo el mundo ha sobrevivido a la ceremonia sin problemas. Y, ahora, ¿están todos listos para la fiesta?

 Para ir a la recepción, ve a la página 283

Es la hora de la recepción nupcial

Como si el vestido de dama de honor infernal no fuera suficiente castigo, te han puesto en la mesa con el tío de Tom, Charlie, que no solamente es un baboso y un pesado, sino que además ya parecía estar como una cuba durante la boda. Está claro que Cee Cee se está vengando de ti por haber secularizado al sacerdote. Buena jugada, Cee Cee, buena jugada.

La modista consiguió soltarte un poco las costuras del vestido, con lo que casi puedes cerrarte la cremallera del todo. Pero no pudo hacer nada con la tela que, en efecto, ahora puedes confirmar que hace juego con los manteles y las servilletas. Y el canesú del vestido te comprime tanto las tetas que amenazan con salirse de su sitio cada vez que respiras. El tío Charlie casi no ha podido apartar los ojos de ellas, y lo único que te impide darle en la cabeza con una botella de champán vacía es que no quieres montar una escena y estropearle el día a Jane (con tus travesuras con el sacerdote, ya has cubierto el cupo). Por suerte, el hombre parece estar a punto de desmayarse.

Aunque no la ves, estás segura de que la tía Lauren está fumando en la mesa de al lado. ¿Cómo se explica si no la extraña nube de humo que te pasa flotando por delante de la nariz? También te fijas en que les ha echado el ojo tanto a Mikey como al padre de Tom.

Aun así, a pesar de tu vestido a juego con la decoración, de las miradas lascivas del tío Charlie y de estar siendo una fumadora pasiva, de momento la boda va de maravilla. Se han hecho fotografías, se ha brindado, se han pronunciado discursos y el *disc-jockey* está como un tren.

—¡Bonito vestido!

Te das la vuelta en tu asiento y Mikey se agacha a tu lado, con lo que tiene una buena vista de tu tremendo escote. Lo único que puedes pensar es «pito canijo, pito canijo, pito canijo». Nunca más podrás volver a mirar de la misma forma a este médico, claramente sin fronteras.

—¿Y son imaginaciones mías o hace juego con el mantel y las servilletas? —pregunta.

—Son imaginaciones tuyas —contestas con brusquedad.

—Bueno, pues tú haces que quede bien. ¿Quieres bailar?

Te gustaría tener la oportunidad de mirar más de cerca al *disc-jockey*, de modo que aceptas..., y te arrepientes de haberlo hecho en cuanto pones un pie en la atestada pista de baile. Mikey gira enérgicamente delante de ti, bailando como un hombre con pito canijo.

Tratas de no hacerle caso y te concentras en el *disc-jockey*. Es un tipo auténtico, pero sin las pretensiones de la gente sofisticada. Y además pone buena música... Este tema que está sonando te encanta. De momento, no ha puesto esa mierda que suelen poner en las bodas: ni la

«Macarena», ni «Los pajaritos» ni «Gangnam Style», y le estás profundamente agradecida por ello. Y lo mejor de todo es que tampoco ha puesto «Every breath you take», que siempre te hace pensar en tíos plastas. Alza la vista de los platos, con los auriculares agarrados entre la oreja y el hombro, y cruza la mirada con la tuya. Te sonríe y levanta la mano, y tú le devuelves la sonrisa pensando que ojalá no estuvieras embutida en este vestido horrible.

Te fijas en que el padre de Tom está intentando llamar tu atención, pero la tía Lauren lo tiene bien sujeto entre sus garras.

El *disc-jockey* señala a Mikey, que da vueltas como un lunático a tu lado, y asiente con fingida aprobación. Mikey está tan inmerso en sus movimientos que no se ha fijado en que te has ido alejando poco a poco. Haces el gesto de dispararte en la cabeza. El *disc-jockey* echa la cabeza hacia atrás y se ríe, y al momento te entran ganas de lamerle el cuello, exactamente en el punto donde uno de sus tatuajes le asoma serpenteante por debajo de la camiseta.

Mikey y tú bailáis el siguiente tema junto con los Domino y su prole, formando un gran círculo en la pista de baile. Jane y Tom se unen a vosotros, así como también Lisa, Bruno y Cat. Has estado evitando a Bruno desde el jugueteo con los pies por debajo de la mesa; has tenido problemas más graves de los que ocuparte. Pero él no deja de mirarte y no vas a poder esquivarlo eternamente. Hay cosas de las que tenéis que hablar. Como, por ejemplo, de por qué te confesó sus sentimientos hacia ti anoche en el balcón, y por qué ha estado haciendo piececitos contigo teniendo a su novia sentada al lado. Definitivamente eso no está bien, aunque hayas visto a Cat montándoselo con Lisa.

También vas a tener que hablar con Lisa. Si está pasando algo entre las dos, tanto ella como Cat le deben a Bruno una explicación. Y luego está el asunto del padre de Tom, el piloto con el que se suponía que tenías que tener un rollo de una noche y no volver a verlo jamás. Sin embargo, ahora mismo no te quita la mirada de encima desde el otro extremo de una sala llena de gente a la que ambos conocéis. Todo se ha complicado mucho en muy poco tiempo.

Empieza otra canción, una pieza lenta esta vez. Le diriges una mirada exasperada al *disc-jockey* y él se encoge de hombros a modo de disculpa. Mikey está a punto de rodearte con el brazo, cuando una mano enjoyada seguida de un brazo largo cubierto con estampado de leopardo le da unos golpecitos en el hombro. Es la tía Lauren, que está actuando como tu salvadora, o bien ha decidido que está de humor para un hombre más joven que ella. Obsequia a Mikey con su sonrisa más lasciva.

—¿Te apetece bailar? —le pregunta con voz ronca.

—La verdad es que iba a… —empieza a decir él, y te señala.

—No pasa nada, pensaba sentarme de todos modos mientras suena ésta —dices.

Al final, el tío Charlie se ha desmayado y está desplomado sobre tu silla durmiendo la mona. Te sientas en la mesa de al lado, por si las moscas, y, mientras paseas la mirada por la sala iluminada con luz romántica, caes en la cuenta de que eres la única persona que no baila. Todos y cada uno de los invitados están de pie bailando lentamente con una pareja. El piloto, Jack, está bailando con la madre de Jane; Mikey está atrapado en las garras de la tía Lauren; Bruno lidia con las niñas en medio de la pista, ¿y dónde diantre está Lisa? ¿De qué sirve ir a una boda con una amiga si te tiene todo el rato abandonada?

—¡Ejem! Disculpa.

Más vale que no sea el sucio tío Charlie que ha regresado de entre los muertos.

—Esperaba que quisieras bailar conmigo. —Es el *disc-jockey* sexy. Te tiende la mano y tú te limpias la palma a escondidas en tu vestido servilleta y luego dejas que te conduzca a la pista de baile.

—Espero de verdad que no sea un baile por compasión porque era la única persona que no bailaba —comentas, disfrutando de la sensación de estar pegada contra su cuerpo largo y delgado.

—¿Estás loca? He tenido que sobornar a la tía Lauren para que alejara de ti al padrino.

Te ríes y decides no preguntar qué le ha pedido ella a cambio por hacerle el favor, y notas burbujas en el estómago como si te hubieras tragado unos polvos efervescentes.

—De hecho, llevo toda la tarde preguntándome si sería apropiado abandonar mis platos y sacarte a bailar. Pero no quería cabrear a la novia.

—No te preocupes, yo ya he cubierto su cupo de cabreo para todo el fin de semana, deberías estar a salvo.

Él te hace girar.

—A propósito, es un vestido muy sexy —comenta.

—No me mientas, anda.

—Los he visto peores.

—¡Imposible!

—Tienes razón. Es un vestido digno de una pelea entre Lady Gaga y Laura Ashley en una fábrica de telas. Pero intentaba ser educado.

Te hace girar otra vez y tienes la sensación de estar bailando en el aire.

—Será mejor que vuelva a los platos. Gracias por el baile. Espero que me reserves otro, ¿eh? —dice mientras te acompaña galante hasta tu mesa.

—Eso dependerá de lo que pongas.

Oyes unos golpecitos en el micrófono. Es Mikey.

—¡Y ahora lo que todos estabais esperando! Ha llegado el momento de que Jane tire el ramo. ¿Pueden salir todas las damas solteras a la pista? —dice.

«Pito canijo, pito canijo, pito canijo», piensas mientras buscas a Lisa por la sala. Te niegas a hacer esto sin ella. ¡Gracias a Dios! Oyes el golpeteo de sus tacones mientras se abre paso hacia ti con la palabra «fechoría» escrita en la cara. Lisa y tú os ponéis con las demás mujeres. Algunas fingen que no les interesa, otras entran en calor y se preparan para hacer su gran parada del día. Lisa y tú os dais empujones y fingís que es un momento importante. Ella levanta los talones, mantiene esta posición y se estira como si fuera una atleta olímpica. Os echáis a reír. Jane se sube a una silla en el otro extremo de la pista de baile y el *disc-jockey* hace sonar un rápido redoble. Cuando llega a su punto culminante, la novia tira el ramo y éste sale volando por los aires a cámara lenta.

 Si coges el ramo, ve a la página 290

 Si no coges el ramo, ve a la página 314

Coges el ramo

Conoces la leyenda: quien atrape el ramo será la próxima en casarse, o la próxima en echar un polvo. No te importaría poner a prueba esta última teoría, sobre todo si el atractivo *disc-jockey* entra en el menú.

Lisa está a tu lado cruzada de brazos. Tú también los cruzas, por solidaridad.

El ramo se mueve como si fuera a cámara lenta y empieza a caer a unas cuatro filas por delante de ti. Una mujer da un salto y con las puntas de los dedos roza el tallo, que gira en el aire. El ramo rebota en su mano y sigue volando directamente hacia ti. Todo sucede tan deprisa que no puedes ni moverte, y el tronco del ramo cae con fuerza y se te aloja entre los brazos y el pecho.

Oyes aplausos y todo el mundo se separa de ti abriendo un espacio circular a tu alrededor. Es tuyo. ¡Has cogido el maldito ramo por casualidad!

—Y ahora llamamos a todos los solteros —dice Mikey, que entonces suelta el micrófono, sale corriendo hacia la pista de baile y casi tira al suelo al tío Charlie (que ya se ha despertado) cuando los dos se empujan a codazos para conseguir un buen sitio.

Sosteniendo el ramo, te sitúas al borde de la pista para mirar. Jane se sube a una silla, las luces se atenúan y el *disc-jockey* pone una clásica música sensual. Los chicos gritan entusiasmados cuando Tom le levanta la falda a Jane y le va deslizando la liga por el muslo. Ella se apoya en su hombro para no perder el equilibrio mientras él se la quita por el pie. Luego la ayuda a bajar, le da un beso y ocupa su lugar en la silla, de espaldas al grupo de invitados. Aguarda un par de segundos y entonces, cuando la multitud empieza a dar unas lentas palmadas, lanza la liga hacia el grupo de solteros que esperan.

 Si el padre de Tom coge la liga, ve a la página 292

 Si el disc-jockey *coge la liga, ve a la página 301*

 Si Mikey coge la liga, ve a la página 309

El padre de Tom coge la liga

Ves volar la liga por los aires y, como si su rumbo estuviera predestinado, cae limpiamente en manos del piloto. Ni siquiera parece que hubiera intentado alcanzarla.

—¡Esto tiene que ser una broma! —le dices a Lisa.

—Pues posee cierta simetría agradable —responde ella—. Terminar el fin de semana tal como lo empezaste.

—¡Cuánto tiempo! —te susurra al oído el padre de Tom mientras te conduce a la pista de baile y te toma en sus brazos para el baile obligatorio de la que atrapa el ramo, el que coge la liga, el novio y la novia.

—Hola otra vez —susurras tú—. Vamos a tener que dejar de vernos de esta forma.

—¿Ah, sí? —dice—. Pues a mí me gusta mucho que nos veamos de esta forma.

—¡No puedo creer que seas el padre de Tom!

—¿No te parece que ya iría siendo hora de que empezaras a llamarme Jack? —Sus dedos fuertes te oprimen la parte baja de tu espalda mientras te guía sin esfuerzo por la pista—. Además, tenemos que ponernos al día en muchas cosas.

No sabes qué decir… Nunca planeaste volver a ver a este hombre, está echando a perder tu rollo de una noche.

—Me preguntaba cómo vas a volver a la ciudad después de la boda —dice Jack, y te presiona suavemente la palma de la mano con el pulgar.

—Lisa y yo pensábamos volver en tren. —Deslizas la mano desde su hombro hasta el pecho y él te estrecha aún más contra él.

—Es una lástima. Esperaba poder llevarte. Viajo en un *jet* privado —suelta como si tal cosa.

—¿Un *jet*? —preguntas.

—Llámalo una ventaja de ser piloto. Mañana tengo que entregar un avión a uno de mis clientes millonarios.

—¡Cuenta conmigo!

—¿Y a Lisa no le importará?

—Creo que lo entenderá. ¿A qué hora despegas?

—Estaré preparado cuando tú lo estés —contesta, y sientes el calor de su mano contra la base de tu espalda.

—De acuerdo, pero tendrás que dejar que me cambie y me quite este vestido horroroso antes de irnos. De ninguna manera puedo llevar esto en un *jet*.

—Si quieres. O…

—¿O qué? —preguntas.

—O podríamos subir al avión y luego podría ayudarte a quitártelo —murmura.

¡A la mierda los rollos de una noche! Vas a optar por un rollo de dos noches.

* * *

—Pues bien, tengo una noticia buena y una mala —dice Jack. La mala noticia es que no podemos despegar hasta dentro de unas dos horas porque hay niebla en nuestro destino.

—¿Y la buena? —No puedes creer que esté pasando de verdad. Estás en un *jet* privado, tú y Jack solos. De acuerdo, el avión aún está en tierra, pero no ibas a rechazar su ofrecimiento para enseñarte la cabina de vuelo.

—La buena noticia es que no podemos despegar hasta dentro de dos horas. Pero puedes ayudarme con las comprobaciones previas al despegue, si quieres.

—Dime lo que tengo que hacer. Copiloto a tu servicio —dices, y lo saludas.

—Excelente. Bueno, es sencillo. Sólo tienes que hacer absolutamente todo lo que el capitán te diga a partir de ahora.

—¿Todo?

—Al pie de la letra. Hay vidas que dependen de ello —responde.

—Y ¿en qué consisten las comprobaciones previas? —preguntas.

—Bueno, primero necesito comprobar que te quitas este vestido. Puede provocar un incendio.

—¡A la orden, capitán! —dices, y te das la vuelta en el estrecho espacio de la cabina para que te desabroche la cremallera, tal como has visto hacer en las películas. Él te complace, pero la cremallera se atasca y no consigue que ceda.

Os echáis a reír.

—Creo que necesitamos más espacio —afirma. Abre la puerta de la cabina de vuelo y entras en la de pasajeros, que es pequeña pero lujosa. Tiene una zona de bar hecha de madera de nogal, cuatro amplios asientos de cuero y una pantalla grande de televisión.

—A ver, ¿dónde nos habíamos quedado? —Notas sus dedos en la espalda que tiran de la tozuda cremallera.

—Maldita cosa, rómpela y ya está —dices.

Oyes el rasgón de la tela, y Jack te quita el vestido por los hombros y lo deja caer al suelo. Te da la vuelta hacia él, y, como no llevas sujetador, te quedas sólo en bragas y en zapatos de tacón. Él se te queda mirando un buen rato, susurra: «¡Madre mía!» y te da un buen morreo.

Sus besos te resultan conocidos a la vez que totalmente nuevos. Te habías olvidado de lo bien que encajan vuestras lenguas. Pero esta vez él va recién afeitado y no notas la textura hirsuta que recuerdas de la otra vez. Te desliza los dedos por la espalda y tú le sacas la camisa de los pantalones para poder meter los dedos por debajo y tocar su pecho desnudo.

—Creo que estamos a punto de sufrir algunas turbulencias —anuncia.

—¿Tengo que ocupar mi posición, capitán? —preguntas con la voz ronca por el deseo.

—Puede que tengas que sujetarte con fuerza y prepararte para un aterrizaje forzoso. —Se afloja la corbata y se quita la camisa por la cabeza sin molestarse con los botones, algunos de los cuales salen disparados por la cabina.

Le recorres el pecho con la boca y le rozas un pezón con los dientes. Luego le desabrochas el cinturón y los pantalones, que se deslizan hasta el suelo. Él se los quita, así como los zapatos y los calcetines. Le sacas la polla, que ya está dura como una piedra y palpitante, de los calzoncillos, y cuando la agarras en tu mano, notas la inclinación que ya te resulta conocida, esa curva a la izquierda.

—Te complacerá saber que esta vez estoy un poco mejor preparado —dice. Mientras él se aleja y rebusca en el bolsillo de la chaqueta que ha dejado por allí, tú te sientas en uno de los lujosos sillones de cuero. El tacto del cuero suave contra tu piel es sensacional, y el cuerpo te late de deseo mientras lo esperas.

Jack regresa del otro lado de la cabina con una botella de champán en una mano, una copa en la otra y el envoltorio de plástico de un condón entre los dientes.

—¿Champán? —masculla a través del preservativo, y te pasa la copa. Abre la botella y se sitúa frente a ti en calzoncillos. El champán burbujea, rebosa de la copa y se te cae un poco en el pecho.

—Espera, no te muevas… Deja que yo te lo limpie.

—Coloca la botella y el condón en un pequeño estante, se agacha entre tus piernas y a continuación te lame las gotas de champán del pecho muy poco a poco. Te recuestas en el asiento y gimes de gusto mientras te pasa su lengua caliente primero por un pezón, luego por el otro y después entre las tetas.

—Lamento ser tan torpe. Me falta práctica —dice mientras te lame las últimas gotas del pecho.

—Espera, creo que te has dejado un poco.

—¿Dónde?

—Aquí —contestas señalando un punto debajo del pecho, sobre las costillas.

—¡Oh! ¡Qué descuido por mi parte! Deja que lo solucione de inmediato —dice, y se inclina con exageración para lamerte el lugar que has señalado—. ¿Qué tal? —pregunta.

—Estupendo, pero te has dejado otro poco por aquí —dices, y te señalas el pezón, que está duro y enhiesto.

Jack sonríe y vuelve a agachar la cabeza, pero esta vez no te lame, sino que se mete todo el pezón en la boca para chuparlo entero, te sujeta la teta con una mano mientras que con la otra te acaricia el otro pecho y te frota el pezón entre los dedos.

—Y aquí también —susurras cuando al final levanta la cabeza. Y te señalas las bragas.

—¡Santo cielo, estás empapada! —exclama con voz ronca, y baja la boca entre tus piernas—. No me había dado cuenta de que había derramado tanto. Será mejor que haga algo al respecto.

Le pones las manos en la cabeza mientras él te chupa con fuerza a través de las bragas y notas que estás chorreando. Levantas las caderas cuando te quita las bragas y hunde la cabeza en tu coño, que primero mordisquea con mucha suavidad para luego atraparte los labios con la boca y chupártelos. Te retuerces en el sillón, pero no quieres correrte todavía, de modo que, tras unos minutos de puro éxtasis, le susurras que necesitas que pare y le apartas la cabeza.

Jack se pone de pie, te coge la mano y tira de ti para volver a estrecharte entre sus brazos. Mientras os besáis, notas la presión de esa increíble polla dura y curva contra ti. Coges el condón de al lado del champán olvidado, lo sacas del envoltorio y lo desenrollas sobre su polla utilizando una mano sobre la otra.

Él te da la vuelta y sientes la presión de su cuerpo contra tu espalda mientras juguetea con los dientes y la lengua por tu cuello y te recorre el pecho con las manos, estrujándote las tetas y los pezones. A continuación, baja más la mano, te la desliza por el vientre y por el pubis y te recorre la raja con un par de dedos, arriba y abajo, tras lo cual te mete un dedo en el coño. Gimes y te mete otro dedo, y los mueve despacio adentro y afuera mientras te presiona el pubis con la palma de la mano coqueteando con tu clítoris, pero sin tocarlo directamente.

—Fóllame —susurras, y haces ademán de darte la vuelta.

—Espera— te pide—. Quédate tal como estás, confía en mí.

Te inclinas un poco hacia delante y apoyas los brazos en el respaldo del sillón para mantener el equilibrio mientras separas las piernas. Notas hasta el último centímetro de su polla dura y curva que se frota contra ti antes de metértela hasta el fondo por detrás. Te adaptas a su tamaño y forma mientras él te va penetrando lentamente, agarrado a tus caderas para tener un punto de apoyo. Gimes con su primera embestida, y la sensación es distinta ahora que está dentro de ti, es algo nuevo. Sientes que la cabeza de su polla te roza el punto G. Debe de ser la curvatura lo que le permite alcanzar ese punto tan esquivo, proporcionándote un intenso placer que te recorre el cuerpo con cada movimiento de su verga.

No puedes evitar soltar un grito, que hace que él te la clave con más frenesí. Tú también empujas el cuerpo contra él hasta que el placer es tan intenso y te folla con tanta furia que casi no puedes soportarlo.

Entonces Jack retrocede, sale de dentro de ti y sueltas un gruñido de frustración. Luego va a sentarse en el asiento reclinable y te coloca a horcajadas sobre él con la espalda contra su pecho.

Estás tan mojada que se desliza otra vez dentro de ti sin ningún esfuerzo. Ahora eres tú la que lo monta. Le agarras los muslos para impulsarte y controlas la fuerza con la que golpea tu punto G con sus embestidas, cada una más profunda y fuerte que la anterior.

Cuando estás a punto de llegar al clímax, te afianzas sobre su polla con una serie de movimientos rápidos y te corres con un grito, y tu coño se contrae y se relaja una y otra vez en espasmos. Excitado al verte correrte y con los dedos apretándote los pezones con fuerza, él se estremece y suelta un grito mientras se corre dentro de ti.

Te echas hacia atrás para apoyarte en su pecho y notas que todo se mueve cuando Jack acciona la palanca del asiento para reclinarlo del todo y hace aparecer una manta como por arte de magia. Te acomodas a su lado disfrutando de la dulce sensación que te recorre las venas.

—Espero que hayas disfrutado del vuelo —te susurra al oído, y te pone un mechón de pelo detrás de la oreja—. Y que vuelvas a elegir esta compañía. —Baja la mirada a su polla que ya empieza a ponerse dura otra vez—. Calculo que iniciaremos el despegue en unos quince minutos.

—Recibido, capitán —dices con una sonrisa satisfecha.

FINAL

El disc-jockey *coge la liga*

Está claro que Tom no es consciente de la fuerza que tiene. Lanza la liga por encima del hombro y ésta pasa volando sobre los dedos de los solteros, que se empujan unos a otros para intentar agarrarla, y cae en medio de los platos de un sorprendido DJ Salinger.

Él la coge y se la cuelga del dedo. Alguien empieza a aplaudir y todo el mundo lo imita.

Cuando comienzan a cortar la tarta, el *disc-jockey* se reúne contigo en tu mesa.

—No hay duda de que tú has asistido a más bodas que yo… ¿Qué significa esto? —preguntas, y señalas su liga y tu ramo.

—Significa que tú y yo tenemos que casarnos —afirma.

—Ja, ja. ¡Y qué más!

—Creo que si te informas bien, descubrirás que es verdad.

De repente te quedas cortada, y, para ganar un poco de tiempo, coges tu copa de vino tinto y das un sorbo. Es extraño… Tienes algo en la boca. Le das vueltas con la lengua para tratar de identificarlo mientras mantienes una expresión sofisticada.

—¡Mamá! —gimotea Tokio o Tombuctú o Toledo—. ¡No encuentro la pajarita de *Yodabell*!

¡Oh, no! No puede ser. Compruebas el objeto suavemente con la lengua. La verdad es que da la sensación de que podría ser el accesorio perdido del roedor.

En un acto reflejo, lo escupes en medio de un chorro explosivo de vino tinto que le da al *disc-jockey* de lleno en el pecho y le salpica toda la parte delantera de la camisa.

—¿Qué haces...? —grita él, y retrocede de un salto.

Nunca te habías sentido tan avergonzada. Pero te sientes enormemente aliviada cuando ves un pedazo de papel empapado pegado a su camisa manchada. Por suerte, el objeto extraño sólo era un resto de confeti.

—Lo siento mucho —le dices—. Pero creía que estaba a punto de tragarme la pajarita de una rata.

Él te mira durante el minuto más largo de tu vida como si estuvieras completamente loca y luego rompéis los dos a reír.

—¡Dios mío! Voy a tardar toda una vida en explicártelo y estoy que me muero de vergüenza —dices cuando consigues recuperar el control de ti misma—. ¿Podemos dar por acabada mi humillación e ir a poner la camisa en remojo? Me sentiré fatal si no consigues quitar esa mancha.

* * *

—¡Lo siento muchísimo, de verdad! —dices frente al lavabo doble del cuarto de baño de tu habitación, frotando la resistente mancha de vino tinto con una pastilla de jabón del hotel.

—No te disculpes, por favor. Estoy muy impresionado. Normalmente soy yo el que intenta tener ideas ingeniosas para conseguir que una chica suba a su habitación y se quite la blusa, y no al revés.

—No suelo invitar a hombres medio desnudos a subir a mi habitación, pero en este caso hay circunstancias atenuantes.

Dejas correr el agua para poner la camisa en remojo y te desplazas al segundo lavabo. Aunque las galas de boda de la rata *Yodabell* no han llegado a tu boca, aún sientes cierta aprensión. Mientras te cepillas los dientes, observas al *disc-jockey* en el espejo, apoyado tranquilamente contra la puerta de la ducha. Ahora que va sin camisa puedes admirar no solamente los músculos bien definidos de sus brazos, sino también los tatuajes hechos con tinta negra que se despliegan por ellos.

—Y dime, ¿tienes nombre, señor *disc-jockey*? —le preguntas mientras te secas la boca con una toalla.

—Me llamo JD —responde.

—¿De verdad?

Asiente.

—¿JD el DJ?

—¿Y tú? —pregunta—. Me hará falta saber a quién mandarle la factura de la tintorería.

Le dices tu nombre y luego te cepillas los dientes por

segunda vez. Cuando terminas, JD se acerca y se queda a tu lado frente al lavabo mirando tu reflejo en el espejo, que está un poco empañado.

—¿Mejor? —te pregunta.

—Creo que sí —respondes, y te pasas la lengua por los dientes ahora frescos y relucientes.

—Quizá podría darte una segunda opinión, ¿no? —sugiere.

Te arden las mejillas y el corazón empieza a palpitarte cuando te da la vuelta hacia él y te besa suavemente en la boca. Notas que su lengua te recorre los labios y los separas un poco. El frescor que el dentífrico te ha dejado en la lengua enfría el calor de la suya.

Lo rodeas con los brazos y, cuando el beso termina, él también te agarra por la cintura y te estrecha contra sí.

—Mmmm, frescor de menta. —Baja un poco más los brazos, te levanta y te sienta en el espacio entre los dos lavabos. Algo se cae al suelo y se rompe, pero no importa, porque te está besando otra vez, y esta vez le pasas las manos por los brazos desnudos, por el pecho y luego por sus pezones duros como guijarros.

Te desliza las manos por el cuello y los hombros, y una de ellas te acaricia el pecho por encima de la tela del vestido que, para tu frustración, es tan rígida que no te permite notar sus dedos. Te apoyas contra el espejo, te resbala la mano y sueltas una palabrota cuando te golpeas el hueso de la risa contra el grifo.

—Mira —dice JD—, sé que todos los chicos que están a la última se lo montan en los cuartos de baño, pero ¿te importaría si volvemos a la vieja escuela y trasladamos la fiesta al dormitorio?

—Pensaba que no ibas a pedírmelo nunca. Se me está clavando el peine en el culo, y me está matando.

Os volvéis a besar de pie junto a la cama y balanceas la pelvis contra él. Él intenta desabrocharte los botones del vestido, pero no ceden. Olvidaste que, en tu desesperación, utilizaste una generosa cantidad de imperdibles para que el canesú no se te abriera de golpe cada vez que respiraras.

JD se da por vencido con el delantero del vestido y busca la cremallera de atrás, pero resulta que también está atascada. ¡Es como si estuvieras atrapada dentro de este maldito vestido!

Él se echa a reír y se deja caer en la cama. Tú te mueres de ganas de que sus manos te recorran todo tu cuerpo, pero el vestido no está dispuesto a permitirlo.

—Espera un segundo —dices. Metes la mano en la maleta y rebuscas en ella—. ¡Córtame esta jodida cosa, te lo ruego! —le pides, y sacas unas tijeras de emergencia y se las das.

—¿Estás segura? —te pregunta.

—¡Del todo! —Te tiendes en la cama, él se arrodilla a tu lado y sostiene las tijeras preparadas frente al dobladillo de tu vestido.

—¿Segura de verdad? —te vuelve a preguntar.

—Segurísima.

Notas su mano en el tobillo cuando te separa un poco las piernas, y a continuación empieza a cortar con las tijeras desde el borde del vestido y va subiendo por la pierna, deslizando la mano por detrás de la hoja de la tijera. Lo único que oyes es la respiración agitada de los dos y el *ras ras* de las tijeras seguidas por sus dedos, seguidos por su lengua. Mientras corta, la tela del vestido se amontona a ambos lados de tu cuerpo y va cayendo. Al llegar a lo alto de tu pierna, empieza a ir más despacio y te acaricia la parte interior del muslo con la nariz, los dientes y los labios. Luego te acaricia por fin con los dedos, y tú gimes y abres un poco más las piernas para que tenga acceso a la parte de ti que de verdad quieres que te toque.

Levanta la tela de la pernera de tus bragas, tira de ella hacia arriba y notas el metal frío de las tijeras contra el pubis mientras él te corta las bragas y el vestido al mismo tiempo, y va subiendo por encima del hueso púbico hasta que tus bragas no son más que un recuerdo hecho jirones. Y luego, por fin, corta el canesú al lado de los botones, y tú te sientas para ayudarlo a quitarte las mangas de los brazos, de modo que ya estás completamente desnuda, libre al fin del peso de la tela, y ahora sólo hay piel contra piel.

Le quitas los pantalones en cuestión de segundos, liberas su polla dura y palpitante con una mano ávida y le cubres las pelotas con la otra, sobándoselas con suavidad. Él te mete una rodilla entre las piernas y sientes tu coño húmedo presionando contra su muslo, y la sensación de fricción es tan agradable que te retuerces contra él.

Le dices que vuelves enseguida y corres al baño a por un condón que sacas de tu neceser, sonríes al ver la camisa manchada en remojo en el lavabo y regresas con él.

Te detienes un segundo a contemplarlo, con los tatuajes que le bajan serpenteando por el brazo y el pecho y su morena erección empinada. Te arrodillas por encima de él, le colocas el condón en la cabeza de la polla y despliegas el resto con la boca. Mmm, la longitud que le falta a la polla queda compensada por su grosor.

Te tumba en la cama y se coloca entre tus piernas. Notas su polla acariciando la abertura de tu coño mojado y luego hundiéndose en tu interior, caliente y fuerte. Es tal tu alivio al sentir que te penetra que le muerdes el hombro mientras te folla, y tras cada embestida sale de ti casi del todo, volviéndote loca de deseo de que vuelva a metértela hasta el fondo, una y otra vez.

Alargas la mano entre vuestros cuerpos que se agitan, le rodeas la base de la polla con el pulgar y el índice y aprietas para ejercer aún más presión mientras él se clava en ti. Cierras las piernas en torno a él con fuerza, cruzas los tobillos e inclinas la cadera para que te penetre aún más, y entonces ya no puedes pensar en nada más. Y empiezas a correrte: tu coño se aferra a su polla una y otra vez mientras él sigue follándote, y mueves las caderas en círculo al tiempo que las empujas para recibirle hasta que notas que se estremece contra ti, y que durante una décima de segundo se le tensan todos los músculos hasta la explosión final.

Cubrís vuestros cuerpos desnudos y agotados con una manta que hay a los pies de la cama, y te quedas allí tumbada recorriendo con el dedo los dibujos góticos de su brazo.

—Por lo visto, coger la liga tiene ventajas adicionales —te susurra al oído mientras te abandonas a un sueño delicioso.

Mikey coge la liga

Cuando la liga está a punto de caer de lleno en las manos de Bruno, Mikey se lanza en picado y la atrapa. No hay duda de que salvar vidas, evitar al recaudador de impuestos y la escalada extrema lo han dotado de unos reflejos de *ninja*. Bruno pone mala cara cuando se da cuenta de que se la han arrebatado justo delante de las narices, y sientes un poco de lástima por él, pero al mismo tiempo experimentas cierto alivio. Lo has estado evitando desde el episodio de los piececitos por debajo de la mesa en la cena de ensayo de anoche y, según la tradición, la que coge el ramo tiene que bailar un lento con el que coge la liga. De modo que, aunque no te complace del todo tener que bailar con pito canijo, al menos te permite seguir evitando a Bruno un poco más.

Este fin de semana ha cambiado por completo el concepto que tenías de él —se ha convertido en un chico dulce, simpático, divertido, bueno e incluso guapo—, pero ha venido con Cat y la verdad es que te molesta que se te haya insinuado.

Y luego está todo el lío entre Cat y Lisa. Te preocupa que, si acabas hablando con Bruno, tendrás que contarle lo que ha estado pasando a sus espaldas durante todo el fin de semana. No, sin duda es más sencillo si te limitas a evitarlo. Y hablando de evitar a la gente... Mikey se acerca a ti dando grandes zancadas, con aire resuelto y expresión engreída.

—Hola, preciosa —te dice zalamero, con la liga colgando del dedo—. Mira lo que tengo.

Las luces sobre la pista de baile se atenúan y empieza a sonar una canción lenta y romántica.

—¿Me concedes este baile? —te pregunta.

—Me parece que no —contestas con brusquedad. ¿Qué clase de padrino cabrón besuquea a la novia dos noches antes de la boda?

Él ni se inmuta.

—Vale, lo entiendo… Te da miedo no poder tener las manos alejadas de mi cuerpo.

—Sí, eso es —replicas con tono inexpresivo. Pero entonces, por encima del hombro de Mikey, ves que Bruno camina hacia ti, es un hombre con una misión—. He cambiado de idea —dices, y te arrojas a los brazos de Mikey empujándolo hacia la pista de baile.

—Tranquila, tigresa. ¡Sabía que no podrías resistirte al *Mikey-nator*! —dice, y te envuelve con sus brazos de pulpo. En cuestión de segundos, notas que deja caer una mano hasta tu culo. Tú se la retiras, pero vuelve a ponértela encima de inmediato.

En cuanto se termina la canción, te separas de Mikey, te das la vuelta para abandonar la pista de baile, pero te encuentras con que Bruno te bloquea el paso con expresión decidida. Antes de que pueda decir nada, tú agarras a Mikey otra vez.

—¡Otro baile! —le chillas.

Él sonríe como un maníaco y se pega demasiado a ti mientras la pista se va llenando una vez más a vuestro alrededor. Mientras Mikey te lleva dando vueltas, notas unos golpecitos en el hombro. Te das la vuelta con la esperanza de que no sea Bruno. Por suerte es Cat.

—¿Te importa si os interrumpo? —pregunta.

—Por supuesto que no. —Te apartas, un poco confusa—. Es todo tuyo.

—No os empujéis, señoras, tengo amor suficiente para todas. —Mikey os mira con expresión maliciosa y con los brazos abiertos.

—Él no, tú —dice Cat mirándote a los ojos.

Tragas saliva y se te seca la boca al instante. ¿Qué puede querer de ti? Te sientes increíblemente incómoda por haberla visto con Lisa. ¿Y si se ha dado cuenta de las miradas que te ha estado echando Bruno?

Cuando te quieres dar cuenta de lo que ocurre, ya estás bailando con Cat. Es más alta que tú y te lleva con gracia, guiándote por la pista de baile al ritmo lento del tema que suena por los altavoces. Te resulta extraño bailar con otra mujer, sobre todo después de haber bailado con pito canijo. Te desconciertan sus manos tan pequeñas.

—¿Qué coño crees que estás haciendo? —te pregunta Cat entre dientes mientras os balanceáis por la pista de baile.

—¡Nada! ¡No ha pasado nada, te lo juro!

—Pues no entiendo por qué, es un tío genial —dice Cat.

—Un momento… ¿De quién estamos hablando?

—De Bruno, por supuesto. ¿No ves que está loco por ti?

—Pero, tú y él no…

Ella se echa a reír.

—¿Bruno y yo, pareja? Hace años que somos amigos y, en cualquier caso, yo soy de la otra acera. He venido con él sólo para que su madre no le diera la lata sobre lo de seguir soltero. Puede llegar a ser muy pesada. Pero te digo una cosa, si yo no fuera lesbi, Bruno sería mi elección número uno.

—¿Quieres decir que no te gustan los hombres?

—No.

—¡Oh, gracias a Dios! Eso explica lo de Lisa y tú. La otra noche os vi en la habitación de la colada.

—¿Ah, sí, nos viste? —Se ríe—. Bueno, pues eso no fue nada. Da gracias de que no nos viste en la mesa de billar, en el cenador o en la sauna.

—Todo este tiempo pensaba que Bruno y tú estabais juntos, por eso lo he estado evitando.

—¡Ya me he dado cuenta! —dice Cat, que te hace girar, y al dar la vuelta ves que Bruno está a un lado de la pista mirándote con una cara que es la angustia personificada. Se te ablanda el corazón, has sido un poco dura con el pobre Bruno.

—Sé que en realidad no es asunto mío, pero ¿querrías hacerme un favor y darle una oportunidad? Está completamente loco por ti, y te aseguro que hay opciones peores. —Cat hace un gesto con la cabeza en dirección a Mikey, que está al borde de la pista mirándoos a las dos con lascivia y haciendo gestos obscenos.

—Creo que podría hacerlo —respondes, y poco a poco se te va dibujando una sonrisa de expectación en la cara.

Cat se aleja de ti y te quedas completamente inmóvil y sin pareja en medio de la pista de baile. Pero no estás sola mucho tiempo. Bruno te sostiene la mirada, camina despacio hacia ti y te tiende la mano. Notas un leve cosquilleo cuando vuestras palmas se tocan y te atrae hacia sí.

—Por fin —te susurra al oído.

—Por fin —repites con voz temblorosa.

Apoyas la mejilla en la suya, inhalas su aroma y sientes el calor de su cuerpo contra el tuyo. ¿Podría ser que desde un principio hayas tenido delante de las narices aquello por lo que tanto suspirabas?

Y entonces te besa, y sabes que sí, que tenía que suceder así.

No coges el ramo

Las chicas se apiñan y se empujan mientras el ramo vuela por los aires. Tardas sólo un segundo en darte cuenta de que va directo a Lisa. La expresión de su cara es de auténtico terror, como si estuviera a punto de atrapar una granada de mano en lugar de un ramillete de rosas, margaritas blancas y gipsófilas atado con cintas de satén.

Lisa te dirige una mirada suplicante y tú entras en acción sin pensártelo dos veces. La apartas de un empujón y avanzas para desviar el ramo, y a partir de aquí todo sucede a cámara lenta.

Te das cuenta de que ha debido de dar la impresión de que empujabas a Lisa para poder atrapar tú el ramo. Pero no tienes tiempo para considerar lo mal que debes de haber quedado, porque te golpeas la cabeza con la de otra mujer que se ha lanzado por los aires en plancha como si fuera un jugador de la NBA.

El dolor de la colisión es instantáneo e insoportable. ¿Quién habría dicho que la cabeza humana está hecha de cemento?

* * *

Parpadeas y abres los ojos poco a poco. Tienes la peor jaqueca de tu vida. Te empieza en la base del cráneo y te recorre toda la cabeza.

Miras hacia arriba y ves unas colgaduras de muselina sobre ti. Estás tendida en una cama con dosel. Te viene el recuerdo del desastroso lanzamiento del ramo. Entonces ves la cara del piloto que aparece por encima de la tuya. El padre de Tom. Jack.

—¿Qué ha pasado? —susurras.

—Te caíste en medio del alboroto por el ramo de novia y te diste un golpe en la cabeza. Estás en la *suite* nupcial. Todos están abajo despidiéndose de los novios. Les he dicho que estaría pendiente de ti.

—¿Estoy bien? —preguntas con voz bronca.

—Sí, los del hotel llamaron a una doctora para que te echara un vistazo y dice que te pondrás bien, que sólo tienes una ligera conmoción. Durante un tiempo no podrás llevar peso ni competir en lanzamientos de ramo.

De repente empiezas a recordar: visualizas a una mujer muy seca que te enfoca los ojos con una linterna pequeña y te toma el pulso.

Jack te ayuda a incorporarte, te pone unas almohadas detrás de la espalda y luego te da un vaso de agua. Gimes un poco y sientes lástima de ti misma. ¡Vaya manera de terminar la boda!

—¿Dónde te duele? —pregunta Jack, que arruga el ceño con expresión preocupada.

—Aquí —dices, y te señalas la frente.

Él se inclina hacia ti y su boca te presiona suavemente el lugar señalado.

—Y aquí —añades, y te tocas el ojo.

Jack se inclina de nuevo y te da un beso delicado en el párpado.

—Y aquí también —sigues, y esbozas una sonrisa señalándote la boca.

Jack también sonríe, se inclina hacia ti una vez más y te besa en los labios con el mismo cuidado que si fueras de porcelana. Se las arregla para ser apasionado y dulce al mismo tiempo, y tú cierras los ojos y te rindes a su beso disfrutando de la sensación de su lengua en tu boca y de sus brazos que te acunan. Ves unas estrellas que estallan por detrás de tus ojos y esta vez no tiene nada que ver con ningún golpe en la cabeza.

Eliges a la juez de paz

Estás al fondo de la iglesia esperando a que llegue Jane y miras hacia el otro extremo del pasillo para estudiar a la juez de paz. Estás segura de que a Jane le va a encantar. Es la mujer indicada para el trabajo: porte calmado, traje elegante azul marino y sonrisa afable.

Seguro que después de todo lo que ha ocurrido, ya nada puede salir mal. ¿O sí?

 Si la boda termina felizmente, ve a la página 318

 Si la boda no termina felizmente, ve a la página 323

La boda termina felizmente

Ha sido la mejor boda que se pueda imaginar. No ha habido ningún contratiempo y Cee Cee no cabe en sí de orgullo.

Todos los invitados asistieron vestidos con sus mejores galas, con un despliegue de sombreros que iban desde lo magnífico a lo ridículo y en el que la tía Lauren ocupó una posición destacada, luciendo una rueda de carro con estampado de tigre de un color rosa encendido y adornada con lo que parecía una langosta gigante.

Jane recorrió el pasillo esplendorosa, cogida del brazo de su padre, con el acompañamiento de un cuarteto de cuerda y una soprano rubia vestida de tafetán color púrpura que interpretaron «Jesús, alegría de los hombres», de Bach. Tom casi se ahoga de la emoción cuando Jane se reunió con él en el altar, donde los reflejos del sol que entraban por los vitrales proyectaban unas luces de colores sobre su exquisito vestido *vintage*.

Hasta las niñitas de las flores se comportaron estupendamente, y llevaron las cestas de pétalos de rosa con solemnidad provocando los «ooooohs» de los invitados allí congregados.

La juez de paz fue sin duda la elección adecuada, por sus sabias palabras y su dulzura.

Observaste con un nudo en la garganta la expresión

radiante de tu mejor amiga cuando se reunió con Tom en el altar. En cuanto los declararon marido y mujer, el coro empezó a cantar el «Aleluya» haciéndose eco de tus propias emociones.

Una vez que los recién casados y los invitados elegantemente vestidos salieron de la iglesia, se liberaron centenares de mariposas blancas. Cuando se alzaron revoloteando hacia el cielo azul como símbolo de esperanza y transformación fue el momento de gloria de Cee Cee.

Y, milagro de los milagros, por lo visto la modista soltó una costura más y tu vestido, aunque sigue apretándote, al menos no es una desgracia.

La recepción transcurrió sin problemas, y el pastel de seis pisos de moca y avellanas fue la mejor tarta de boda que has probado jamás. Y, para rematar su día de triunfo, Cee Cee cogió el ramo de novia.

Ahora estás en el camino de entrada, sonriendo aún al recordar los discursos afectuosos y divertidos (incluso el discurso de padrino que dio Mikey tuvo la mezcla adecuada de humor y afecto), mientras dices adiós con la mano a Tom y Jane, que decidieron irse directamente de luna de miel, en lugar de pasar la noche en la *suite* nupcial. El sol del atardecer se refleja en las ondas del lago y lo pinta con brochazos dorados mientras la feliz pareja se aleja en un Roller clásico plateado y los cisnes alzan el vuelo y saludan con sus graznidos.

Suspiras con melancolía. ¡Tu mejor amiga acaba de

casarse! Notas que hay alguien a tu lado. Es Bruno. El sol de última hora de la tarde dora sus rasgos y te das cuenta con un ligero sobresalto de que, hasta ahora mismo, se te había pasado por alto lo guapo que es en realidad. Él te sonríe, sus ojos oscuros te miran con cariño, te toma la mano y te acaricia los dedos.

—¿Qué te parece si tú y yo probamos también a ser felices para siempre? —te pregunta.

Estás a punto de responderle cuando Mikey se acerca a vosotros furtivamente.

—¿Qué tal si nos tomamos una copa para brindar por la feliz pareja?

Miras a Bruno.

—¿Por qué no? —dice él.

* * *

Primero caes en la cuenta de que es temprano por la mañana. En segundo lugar, te das cuenta de que pareces estar en la *suite* nupcial. La tercera cosa que adviertes es que hay cuerpos desparramados por todas partes. Cuerpos medio desnudos.

Te incorporas y escudriñas la habitación con ojos empañados. La tía Lauren y Cee Cee están medio escondidas debajo de la cama, las dos como muertas y con unas botellas vacías de Moët en las manos.

Lisa, el padre de Tom y Cat están tendidos y abrazados en la alfombra al lado del minibar abierto y vacío. La recepcionista y el *disc-jockey*, los dos con vestidos de dama de honor puestos, están roncando en el balcón cogidos de la mano.

Y... ¿ese que está acurrucado junto al televisor es Bruno? En efecto. Y tiene algo que le sobresale del trasero. Algo que se parece sospechosamente a un muñeco Action Man con equipo de buzo.

Pones los pies en el suelo y mantienes el equilibrio no sabes cómo. ¡Caray! Te asomas al cuarto de baño y ves a un hombre desnudo tendido en la bañera que sólo lleva puesto un casco de moto. No estás segura, pero podría ser Mikey.

Te envuelves con una sábana y sales tambaleándote hasta el pasillo. Está lleno de botellas de champán vacías y serpentinas, y la tarta nupcial a medio comer está encima de un carrito de la limpieza, donde la rata *Yodabell* la está devorando alegremente.

Poco a poco empiezas a recordar los acontecimientos de la noche. Después de que os despidierais todos de Jane y Tom, Mikey sacó un par de botellas de un licor fuerte que trajo de una de sus excursiones a África y todos tomasteis un trago, y a partir de ahí la cosa fue degenerando. Hubo baile (en un momento dado, Cee Cee se subió a la mesa nupcial para presumir de sus movimientos), y después alguien sugirió que bailarais la conga en la *suite* nupcial. Y luego...

¡Caramba! ¿De verdad hiciste…? Y ¿cómo pudo…? ¿Y eso es anatómicamente posible?

Vas a tu habitación y caminas sin hacer ruido hasta la ducha, sin dejar de sonreír.

Menuda noche.

Menuda boda.

Finales felices para todos.

La boda no termina felizmente

Tienes la sensación de haber estado conteniendo el aliento desde el instante en que Jane ha empezado a caminar por el pasillo. Cee Cee se ha superado a sí misma y la iglesia tiene un aspecto espléndido. Y Jane parece estar contenta con tu elección del oficiante de la boda, ni ella ni Cee Cee te han dirigido una sola mirada fulminante. Después del desastre con el padre Declan, estás desesperada por que esto vaya bien.

—Tom, ¿aceptas a Jane como tu legítima esposa? —entona la juez de paz en voz baja y agradable.

Tom le toma las manos a Jane.

—Sí, acepto —responde.

Uno ya está, sólo queda otro. Ya estás casi fuera de peligro.

—Y tú, Jane, ¿aceptas a Tom como tu legítimo esposo?

Estás segura de que el corazón te ha dejado de latir. Si las dudas de Jane resurgen, todo podría salir horriblemente mal en décimas de segundo.

—Yo... yo... —dice Jane, y se le llenan los ojos de lágrimas.

La adrenalina bombea por todo tu cuerpo.

—Acepto —dice por fin. Oh, gracias a Dios. Cuando la juez de paz pronuncia la frase atemporal de «puedes besar a la novia», por fin respiras. Pese a unos momentos complicados, al final parece que todo ha salido bien.

Pero aún no puedes deshacerte por completo del nudo que tienes en el estómago... Todavía queda la recepción.

Después de un millón de fotografías, el séquito nupcial y los invitados entran en fila en el salón de actos que se ha decorado con profusión para la recepción. El champán se descorcha con un estallido. Los camareros entran en tropel llevando las fuentes con los entrantes. Después del plato principal (salmón y hojas de mostaza *en croûte* con gratinado de col china en miniatura), llega el momento de los discursos. Primero el padre de Jane pronuncia unas palabras lacrimógenas y luego Tom se pone de pie para brindar por las damas de honor. No te hace mucha ilusión escuchar el discurso de Mikey, pero, a pesar de un chiste subido de tono sobre un cisne y un sacerdote, debes reconocer que no es tan grosero como te esperabas. No hay duda de que los dioses nupciales os sonríen.

Le toca el turno a Jane. La ayudaste a elegir un poema precioso de Emily Dickinson para la ocasión y estás deseando que lo lea. Le diriges una sonrisa alentadora. La verdad es que parece estar terriblemente nerviosa.

Se aclara la garganta.

—Necesito empezar diciendo... que...

Oh, oh. Esto no es lo que ensayasteis.

—¡He besado a Mikey! —suelta.

Se hace un silencio sepulcral. Tom se queda lívido. Y Mikey empalidece más aún. Te clavas las uñas en las palmas de las manos con tanta fuerza que te haces sangre.

—Fue un accidente, Tom —solloza Jane—. ¡No significó nada para mí! Te lo juro… ¡Tienes que creerme!

—¡Tom, colega! Te juro que no ha tenido importancia, de verdad. Estaba como una cuba y no sabía lo que hacía —protesta Mikey, con una expresión de pánico en su atractivo rostro.

Tom se queda pensativo un segundo y a continuación se pone de pie y le pega un puñetazo a Mikey, que se cae de la silla y se queda tendido en el suelo, sin duda fuera de combate. Te quedas impresionada. No te esperabas eso de él.

Ahora Jane solloza con ganas.

—Tom, lo siento mucho, ha sido el error más grande de mi vida. Te quiero. Quiero estar contigo siempre. ¡Perdóname, por favor! Eres mi mejor amigo… ¡Tenía que contarte la verdad!

Tom se queda mudo unos largos segundos y tú esperas conteniendo el aliento. Sólo el chasquido del mechero de la tía Lauren rompe el silencio que reina en la sala.

—Jane… —empieza a decir—, yo también te quiero. —La estrecha en sus brazos—. Te perdono, tengo que hacerlo. La vida sin ti no vale la pena. —Mientras ellos se abrazan, todos los presentes en la sala estallan en vítores y aplausos.

Te reclinas de golpe en tu asiento y tomas un trago de champán. Otra vez ha ido de un pelo. Te fijas en que Mikey se ha levantado y se dirige despacio hacia la puerta mientras se frota la barbilla con la mano. «¡Buen viaje!», piensas. Parece que todo el mundo, con la excepción de Mikey, tendrá su final feliz después de todo.

El *disc-jockey* empieza poniendo la música para el primer baile, y Tom y Jane se deslizan hacia el centro de la sala mirándose a los ojos. Es una balada, pero por algún motivo hay un extraño sonido de fondo. Una especie de zumbido... ¿Podría ser la reverberación de los altavoces? Pero entonces oyes unos bramidos además del leve zumbido. Otros se percatan de los inusuales efectos de sonido y empiezan a volver la cabeza.

Al minuto siguiente, un toro enorme se estrella contra las puertas cristaleras e irrumpe en la sala resoplando y corcoveando como si estuviera en Pamplona. Al encontrarse con las barreras que le presentan el bufet de postres, el bar y los platos de sonido, sencillamente carga contra ellas.

Tom pone a salvo a Jane con un movimiento rápido, pero todos los demás están tan impresionados que no pueden moverse ni gritar. El ruido de las botellas, cubiertos y equipo de sonido que cae al suelo continúa durante lo que parece una eternidad. El *disc-jockey* se levanta de entre los destrozos, ileso pero sin habla, mientras el animal enloquecido intenta saltar por encima de la tarta nupcial, entorpecido por un mantel que se le ha enganchado en los cuernos y que le cuelga sobre un ojo con malicia. El animal efectúa una salida espectacular a través de otro ventanal (cerrado), atravesándolo en medio de una lluvia de cristales.

—¡Hostia, Tom! —dice Bruno en el silencio horrorizado que reina luego—. ¿Era un paciente tuyo descontento? ¿Castraste al animal equivocado por accidente?

No hay nadie herido, aunque a la tarta le falta el piso de arriba, pero la cosa aún no ha terminado. Una bandada de cisnes va pisándole los talones al toro. Entran pavoneándose en la recepción como guardias de asalto. Hasta ahora no te habías dado cuenta del aspecto feroz que tienen esas aves, con unos ojos como cabezas de tachuela que miran mal y un cuello serpenteante.

Está claro que Mikey, que rondaba por la entrada, ve esto como una oportunidad de salvar su reputación.

—¡Largo! —exclama agitando los brazos a los cisnes—. ¡Fuera de aquí, patos presuntuosos! —El líder de la manada («bandada» parece un término demasiado suave) lo mira como si midiera sus fuerzas con él y arremete contra su rodilla con muy mala leche. Mikey suelta un alarido y cae al suelo por segunda vez. Los cisnes emiten una especie de siseo agitado y miran a su alrededor en busca de sangre fresca. Todo el mundo se retira detrás de las sillas a toda prisa y los Domino empujan a sus hijas, que chillan de regocijo más que de angustia, debajo de una mesa.

Los cisnes cruzan la sala anadeando y moviendo rápidamente la cabeza de un lado a otro como carceleros suspicaces. Unos cuantos se detienen para echar una generosa cagada en la alfombra antes de salir por el mismo sitio por el que salió el toro.

Mientras tanto, el inquietante murmullo que se oía de fondo se ha convertido en un zumbido furioso y el pánico del toro y los cisnes se explica en cuanto un enjambre de abejas entra en la sala como un cohete. A estas alturas la gente ya se dirige en tropel hacia las puertas. Por suerte, las abejas no están interesadas en los humanos, sino que, como una gran masa vibrante, se dirigen hacia la tarta y se posan sobre ella. En cuestión de segundos, el glaseado de un blanco inmaculado se vuelve negro mientras las abejas se atiborran de su dulzura.

Los Domino y tú os lleváis en brazos a las niñas y la jaula de la rata y os sumáis a la estampida general en dirección al porche. Los asustados invitados se arremolinan por allí provocando un rumor casi tan fuerte como el de las abejas. Aparte de Mikey, que se aleja cojeando hacia el aparcamiento, y unos pocos desafortunados que recibieron alguna que otra picadura, todo el mundo parece estar ileso.

Jane señala con dramatismo a Cee Cee, que farfulla horrorizada, y le grita:

—¡Todo esto es culpa tuya! Yo quería una tarta de chocolate, pero nooooooo. Demasiado vulgar, dijiste. Esta temporada, la gente bien opta por miel y turrón, aseguraste. Y ¡fíjate ahora!

El espectacular sombrero de la tía Lauren se alza con cautela por detrás de una mesa volcada.

—Queridas —ronronea—, no me sorprende que aparecieran los pájaros y las abejas. Al fin y al cabo, esto es una boda.

FINAL

Has elegido al oficiante de la nueva era

Al entrar en la capilla, Jane se vuelve a mirarte y te hace la señal de «perfecto» con el índice y el pulgar. Tú le sonríes, nerviosa. Desde aquí atrás, el oficiante de la nueva era tiene un aspecto común y corriente que resulta tranquilizador. Te esperabas plumas y cuentas, pero tiene cerca de cincuenta años y viste unos pantalones oscuros y una camisa blanca de esas vaporosas que sin duda se tejió en un telar de lana de manera sostenible. Jane aún no está lo bastante cerca como para verle las orejas agujereadas con unos grandes discos, el remolino de tatuajes que asoma por debajo de las dos mangas o la pequeña diosa de la fertilidad que lleva colgada al cuello con un cordón de cuero.

El órgano empieza a tocar y las hijas de los Domino son las primeras en avanzar por el pasillo, luego vais Cee Cee y tú, conteniendo la respiración para que no se os salgan las tetas del vestido, y os siguen Jane y su padre. «Esto tiene que salir bien —piensas—. Tiene que salir bien.»

Jane camina hacia Tom, cuyo rostro es el de la felicidad personificada, y el corazón se te inunda de esperanza. Crees de verdad que les va a ir muy bien.

Transcurre la ceremonia y te vas relajando. De hecho, el oficio es precioso, con unos cuantos poemas bien elegidos. Puede que aún salgas bien parada.

—Esto... ¿Puedes repetirme tu nombre? —pregunta el oficiante.

—Tom —dice Tom.

—Ah, sí. Tom, ¿aceptas a esta mujer...?

—Jane —dice Jane.

—... a Jane para que sea tu legítima esposa?

Cee Cee te dirige una mirada asesina y tú le sonríes. Oye, nadie es perfecto.

—Podéis besaros para sellar vuestra unión —dice el oficiante.

Ellos se besan y, cuando ya crees que ha terminado y que todo va a salir bien, el gurú se lanza a pronunciar un último discurso.

—La reunión de dos almas es una cosa mística. Dos elementos incapaces de vivir separados y que juntos avivan el fuego de la pasión. Como el oxígeno aviva una llama. —Y saca un palo largo y una botella. Se percibe un olor acre a parafina. Antes de que nadie pueda impedírselo, enciende las dos puntas del palo, que estallan en llamas.

Se oye un murmullo agitado por parte de los invitados a la boda, y Jane y Tom retroceden ante el fuego cogidos de la mano y mirando impresionados.

A continuación, el oficiante procede a hacer girar el bastón llameante entre los dedos como si fuera una *majorette* hasta que se acerca uno de los extremos encendidos a la boca y lame el fuego. Luego engulle la llama haciendo mucho teatro. Los invitados aplauden y lanzan exclamaciones de sorpresa y admiración. Cuando él hace girar el bastón una vez más y vuelve a encender la punta apagada, que llamea de nuevo, Cee Cee retrocede para apartarse y pone mala cara.

—¿Lo ves? —le dices—. ¡Esto ha salido genial! ¡Apuesto a que nadie ha estado jamás en una boda como ésta!

El gurú sostiene el bastón frente a él y, después de llenarse la boca de parafina, sopla sobre el palo y hace que una enorme bola de fuego salga del bastón con un rugido y vuele hacia el pasillo. Pero la Madrina Extraordinaria no ha dejado ni un solo detalle sin supervisión, y resulta que hay toda una serie de lazos, de la misma tela que tu vestido, atados con cuidado en el extremo de todos los bancos. En cuestión de segundos, la tela hambrienta de fuego se incendia.

Los invitados empiezan a gritar presa del pánico y a darse empujones para escapar de entre los bancos (que también empiezan a prender), y al gurú de la nueva era se le vuelca la botella de parafina, que se derrama por el suelo viejo y seco de madera. De repente, se levanta una lengua de llamas que lame el líquido.

Hay una estampida hacia la puerta. Tú agarras a Cee Cee y Tom tira de Jane.

Por fin sale todo el mundo, se comprueba que todos están sanos y salvos y la gente se apiña impresionada en el jardín y observa las llamas que lamen las vidrieras.

—¡Apuesto a que nadie ha asistido jamás a una boda como ésta! —te gruñe Cee Cee al oído.

Tom acude a rescatarte.

—Cee Cee, en realidad, esto no tiene por qué ser del todo malo. ¿No se supone que es un día que hay que recordar el resto de tu vida? Y ¿quién diablos va a olvidarse de esto?

Tú le sonríes agradecida.

—¡A la mierda todo esto, nosotros nos vamos de luna de miel! —anuncia Jane, y tira de Tom hacia el coche que los espera con las palabras «RECIÉN CASADOS» pintarrajeadas en el parabrisas trasero y unas latas ensartadas en trozos de cuerda que cuelgan del parachoques. Todo el mundo los vitorea y les dice adiós con la mano mientras ellos se alejan a toda velocidad.

El sonido de las sirenas se hace cada vez más fuerte y un camión de bomberos baja ruidosamente por el camino y se detiene frente a la capilla en llamas. Abres mucho los ojos cuando un grupo de bomberos fornidos y algunas mujeres saltan a la acción, nunca has visto un grupo de rescatadores tan entusiastas. Seguro que todos practican ejercicios especiales para combatir el fuego porque, incluso bajo la protección de sus uniformes, mires donde mires hay músculos por doquier.

Desenrollan unas mangueras enormes con experta facilidad y apuntan con ellas a las ventanas.

—¡Quédese atrás, señora! —te dice un Adonis. ¿Te

ha guiñado el ojo? Tú le diriges una sonrisa deslumbrante, pero oyes una voz que te dice al oído:

—Está casado y tiene dos hijos.

Es Bruno. Te lo quedas mirando boquiabierta.

—¿Cómo lo sabes?

—No lo he visto en mi vida. Sólo estoy utilizando mi poder mental superior para eliminar la competencia musculosa.

Te echas a reír y Bruno te pasa el brazo por los hombros. Te relajas contra él y la sensación es buena, y cuando te roza la mejilla con los labios, notas un escalofrío innegable que te recorre la espalda.

Mientras los bomberos luchan con las mangueras, avanzando y retrocediendo con una sincronización perfecta, la atemporal tía Lauren aparece a tu lado con su fabulosa creación de estampado de leopardo y su sombrero estrambótico.

—¡Qué divertido, querida! Ya he estado en bodas con fuegos artificiales, pero nunca he visto nada parecido a esto —dice, y se relame cuando un bombero especialmente musculoso pasa como una bala por su lado—. Me encantan los finales felices.

FINAL

Agradecimientos

Estamos muy agradecidas con todas las personas que han tenido fe en la Chica y en sus aventuras. La lista empieza con Oli Munson, nuestro agente superhéroe, y nuestras hadas madrinas: Jennifer Custer y Hélène Ferey, de A M Heath Literary Agents, quienes siempre parecen tener buenas noticias para nosotras. Muchas gracias a todos los editores que han acogido a la Chica, en especial a Manpreet Grewal y su equipo en Sphere (Little Brown), Amanda Bergeron y colaboradores en William Morrow (HarperCollins), y a Jeremy Boraine y sus colegas en Jonathan Ball. No ignoramos que hay editores extranjeros, traductores, diseñadores, grafistas y muchas más personas trabajando a destajo en veinte países diferentes en bien de la Chica. Gracias a todos.

Gracias también a Amber de Savary de Old Swan y Minster Mill, así como al resto de organizadores de bodas y coordinadores, que nos mostraron sus románticas salas de fiesta y nos hicieron partícipes de sus anécdotas.

Por su asesoría, sugerencias y apoyo, tanto práctico como moral, estamos inmensamente agradecidas a: Candice, Carol, Charlie, Edyth, James, Kathy, Lauren, Liesl, Rosemary, Savannah, Steve y Tom. Que vuestros condones nunca se agujereen.

Helena S. Paige es el seudónimo de tres amigas. Nick Paige, galardonada creativa publicitaria y novelista. Escribe también una columna semanal en *The Sunday Times* en la que toca todo tipo de temas. Desde la sexualidad y las citas amorosas hasta la locura. Helen Moffet tiene múltiples intereses. Es escritora, poeta, editora, activista y profesora. Ha impartido conferencias en lugares tan distantes entre sí como Trinidad y Alaska. También escribe sobre cricket y es fan del flamenco. Sarah Lotz es guionista y novelista. Le gustan los nombres falsos. Escribe, con Louis Greenberg, novelas de terror urbanas con el seudónimo S. L. Grey, y novelas para jóvenes adultos con su hija Savannah, bajo el seudónimo Lily Herne.

Utilizando el nombre de Helena S. Paige, estas tres mujeres han creado la divertida y excitante serie «Elige tu propia aventura... *hot!*», en la que lectoras y lectores configuran su propia experiencia. Y en la que todo el mundo tiene garantizado un final feliz.